1.Auflage
© Reinhard Laun
Zeichnungen und Grafik: Reinhard Laun

Verlag: Tradition GmbH, Hamburg
Printed in Germany

ISBN Taschenbuch: 978-3-7345-4142-1
ISBN Hardcover :   978-3-7345-4150-6
ISBN e-Book: 978-3-7345-4143-8

Versuch einer Einführung in die

DEUTSCHE GRAMMATIK

Wer niemals Deutsch gelernt hat,
kann sich keine Vorstellung
davon machen, wie verzwickt
diese Sprache ist. Es gibt sicher
keine andere Sprache, die so
unordentlich und unsystematisch
daherkommt, und sich daher
jedem Zugriff entzieht.

– Mark Twain–

Reinhard Laun

DEUTSCHE
GRAMMATIK

praktisch.einfach gut

FÜR ALLE

Lernzettel vom REFUGIO
-Cafe der Gastfreundschaft

Perfekt   *Nominativ*   *Plusquamperfekt*

Genitiv   *Präteritum*

Indikativ

Dativ

Aktiv

Präsens

Akkusativ

Passiv   *Futur I*

Konjunktiv II

INHALTSVERZEICHNIS

DIE WORTARTEN

In der deutschen Sprache gibt es viele verschiedene Wortarten.
Einen kleinen Überblick zeigen die folgenden Abbildungen:

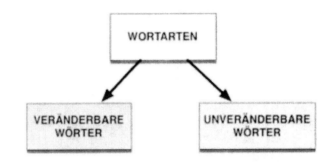

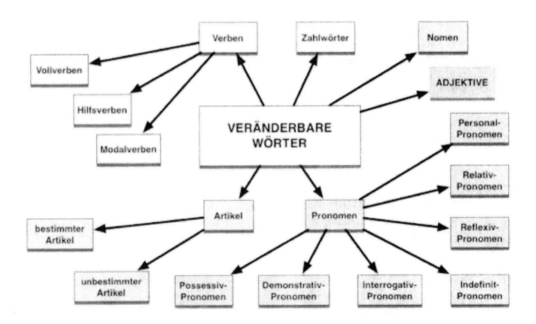

Beispiele für die veränderbare Wörter:

Nomen: (das) Haus, (der) Mann, (die) Kirche, (die) Schwester,….

Adjektive: schön, groß, klein, nett, brav

Artikel: der, die das, einer, eine, ein…

Personalpronomen: ich, du, er, sie es, wir, ihr, sie, mich, mir, dich, dir,…..

Reflexivpronomen: mich, dich, sich, uns, euch, sich…

Possessivpronomen: mein, dein, sein, ihr, unser, euer, Ihr….

Demonstrativpronomen: dieser, jener, …..

Relativpronomen: der, die, das, welcher, welche

Interrogativpronomen: wer? welche? …….

Indefinitpronomen: man, andere, jemand, alle,…

Zahlwörter: zwei, dreißig, fünftausend…. erste, zweite, fünfte,…..

Vollverben: gehen, laufen, kommen,…

Hilfsverben: sein, haben, werden

Modalverben: müssen, können, wollen, sollen, dürfen, mögen

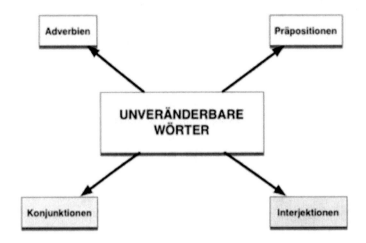

Beispiele für die unveränderbare Wörter:

Adverbien: darum, da, sehr, oft, trotzdem, bestens,
hier, gern, immer, …..

PRÄPOSITIONEN: auf, über, unter, neben, in, bei, mit,
wegen …..

KONJUNKTIONEN:
nebenordnend   und, oder, denn
unterordnend   wenn, dass, als, ob, weil, seit, bis,
falls ….

INTERJEKTIONEN: Aua! Ach! O-la-la! Oho! Pfui! ……

Der Artikel

In der deutschen Sprache sind die Substantive und Nomen entweder

- **männlich (= maskulin = m)**

- **weiblich (feminin = f)**

- **sächlich (neutral = n)**

Das Geschlecht (= maskulin, feminin oder neutral) eines Nomen ergibt sich durch den Artikel. Daher ist es wichtig, bei Erlernen der Substantive immer den Artikel mit zu lernen!

Es gibt verschiedene Artikelarten:

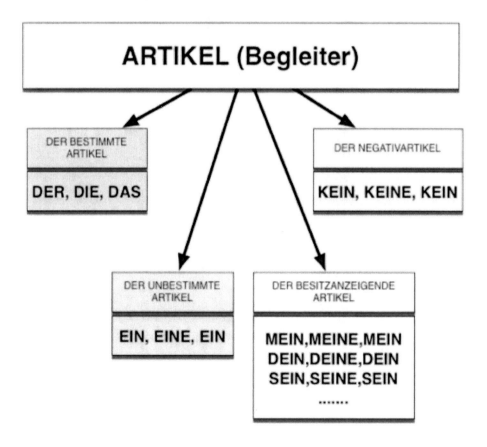

ARTIKELDEKLINATION

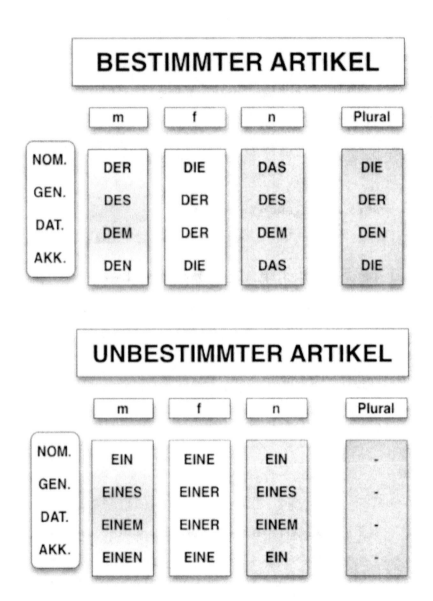

BESTIMMTER ARTIKEL

	m	f	n	Plural
NOM.	DER	DIE	DAS	DIE
GEN.	DES	DER	DES	DER
DAT.	DEM	DER	DEM	DEN
AKK.	DEN	DIE	DAS	DIE

UNBESTIMMTER ARTIKEL

	m	f	n	Plural
NOM.	EIN	EINE	EIN	-
GEN.	EINES	EINER	EINES	-
DAT.	EINEM	EINER	EINEM	-
AKK.	EINEN	EINE	EIN	-

DER POSSESIVARTIKEL (MEIN, DEIN,SEIN, UNSER, EUER, IHRER)

Singular	m	f	n	Plural
Nominativ:	mein	meine	mein	meine
Genitiv:	meines	meiner	meines	meiner
Dativ:	meinem	meiner	meinem	meinen
Akkusativ:	meinen	meine	mein	meine

Singular	m	f	n	Plural
Nominativ:	dein	deine	dein	deine
Genitiv:	deines	deiner	deines	deiner
Dativ:	deinem	deiner	deinem	deinen
Akkusativ:	deinen	deine	dein	deine

Singular	m	f	n	Plural
Nominativ:	sein	seine	sein	seine
Genitiv:	seines	seiner	seines	seiner
Dativ:	seinem	seiner	seinem	seinen
Akkusativ:	seinen	seine	sein	seine

Singular	m	f	n	Plural
Nominativ:	unser	unsere	unser	unsere
Genitiv:	unseres	unserer	unseres	unserer
Dativ:	unserem	unserer	unserem	unseren
Akkusativ:	unseren	unsere	unser	unsere

Singular	m	f	n	Plural
Nominativ:	euer	euere	euer	euere
Genitiv:	eures	euerer	eures	euerer
Dativ:	eurem	euerer	eurem	eueren
Akkusativ:	eueren	euere	euer	euere

Singular	m	f	n	Plural
Nominativ:	ihr	ihre	ihr	ihre
Genitiv:	ihres	ihrer	ihres	ihrer
Dativ:	ihrem	ihrer	ihrem	ihren
Akkusativ:	ihren	ihre	ihren	ihre

DER NEGATIVARTIKEL (KEIN, KEINE, KEIN)

Singular	m	f	n	Plural
Nominativ:	kein	keine	kein	keine
Genitiv:	keines	keiner	keines	keiner
Dativ:	keinem	keiner	keinem	keinen
Akkusativ:	keinen	keine	kein	keine

Artikel und Präposition:

Steht vor einem bestimmten Artikel eine Präposition, wie z.B. „an, bei, in , von und zu" werden beide oft zu einem Wort zusammengezogen.

- an + dem = am
- bei + dem = beim
- in + dem = im
- in + das = ins
- von + dem = vom
- zu + dem = zum
- zu + der = zur

DER BESTIMMTE ARTIKEL

Der **bestimmte Artikel (der, die, das)** kommt in der deutschen Sprache sehr häufig vor. Er begleitet fast jedes Nomen (Substantiv) und kann uns folgende *Informationen über das Nomen* geben:

- **Geschlecht (das Genus)**
  - maskulin (=**m**), feminin (= **f**) und neutral (= **n**)
- **Numerus**
  - Singular (= Einzahl) oder Plural (= Mehrzahl)
- **Kasus**
  - Nominativ, Genitiv, Dativ, Akkusativ

Der bestimmte Artikel wird verwendet, wenn....

.....**eine Sache bekannt ist**. (zum Beispiel: **Der** Schiedsrichter pfeift das Spiel ab. **Der** Verkäufer hat mir faule Erdbeeren verkauft. Der Hund bellt.)

.....**eine Sache oder eine Person zuvor genannt wird**. (zum Beispiel: In Hamburg gibt es Hagenbeks Tierpark. **Der** Tierpark liegt in Stellingen.

.....**etwas** (z.B. Gebirge, Flüsse, Planeten usw.) **einmalig ist**. (zum Beispiel: **die** Elbe, **die** Alster, **de**r Rhein, **der** Jupiter, **das** Fichtelgebirge, **der** Schwarzwald usw.)

.....**ein Superlativ vorkommt**. (zum Beispiel: Mohamed ist **der** beste Läufer. Tamil ist **der** schnellste Schwimmer. usw.)

.....**eine Datumsangabe** gegeben wird. (zum Beispiel: Heute ist Freitag, **der** dreizehnte Mai.)

.....**eine Ordinalzahl** vorkommt. (Hans wurde beim Marathon **der** zweite Sieger.)

DEKLINATION DES BESTIMMTEN ARTIKELS

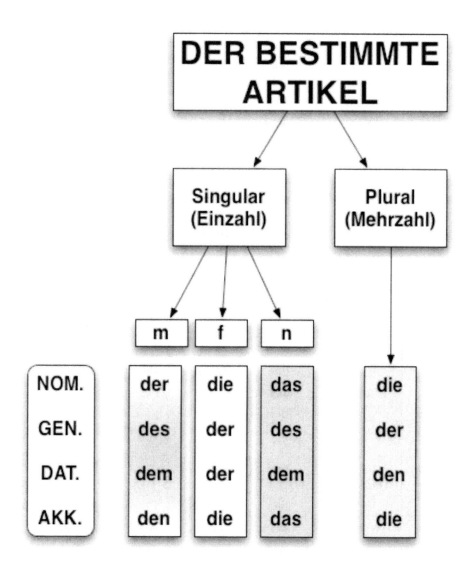

Deklinationsbeipiele

a) maskulin (männlich)

	Fragewort	Artikel	Singular	Artikel	Plural
Nominativ	Wer oder was?	**der**	Hund	**die**	Hunde
Genitiv	Wessen?	**des**	Hundes	**der**	Hunde
Dativ	Wem?	**dem**	Hund	**den**	Hunden
Akkusativ	Wen oder was?	**den**	Hund	**die**	Hunde

	Fragewort	Artikel	Singular	Artikel	Plural
Nominativ	Wer oder was?	**der**	Tisch	**die**	Tische
Genitiv	Wessen?	**des**	Tisches	**der**	Tische
Dativ	Wem?	**dem**	Tisch	**den**	Tischen
Akkusativ	Wen oder was?	**den**	Tisch	**die**	Tische

	Fragewort	Artikel	Singular	Artikel	Plural
Nominativ	Wer oder was?	**der**	Ball	**die**	Bälle
Genitiv	Wessen?	**des**	Balles	**der**	Bälle
Dativ	Wem?	**dem**	Ball	**den**	Bällen
Akkusativ	Wen oder was?	**den**	Ball	**die**	Bälle

	Fragewort	Artikel	Singular	Artikel	Plural
Nominativ	Wer oder was?	**der**	Tanz	**die**	Tänze
Genitiv	Wessen?	**des**	Tanzes	**der**	Tänze
Dativ	Wem?	**dem**	Tanz	**den**	Tänzen
Akkusativ	Wen oder was?	**den**	Tanz	**die**	Tänze

b) feminin (weiblich)

	Fragewort	Artikel	Singular	Artikel	Plural
Nominativ	Wer oder was?	die	Katze	die	Katzen
Genitiv	Wessen?	der	Katze	der	Katzen
Dativ	Wem?	der	Katze	den	Katzen
Akkusativ	Wen oder was?	die	Katze	die	Katzen
Nominativ	Wer oder was?	die	Maus	die	Mäuse
Genitiv	Wessen?	der	Maus	der	Mäuse
Dativ	Wem?	der	Maus	den	Mäusen
Akkusativ	Wen oder was?	die	Maus	die	Mäuse
Nominativ	Wer oder was?	die	Dame	die	Damen
Genitiv	Wessen?	der	Dame	der	Damen
Dativ	Wem?	der	Dame	den	Damen
Akkusativ	Wen oder was?	die	Dame	die	Damen
Nominativ	Wer oder was?	die	Fahrt	die	Fahrten
Genitiv	Wessen?	der	Fahrt	der	Fahrten
Dativ	Wem?	der	Fahrt	den	Fahrten
Akkusativ	Wen oder was?	die	Fahrt	die	Fahrten

c) neutral (sächlich)

	Fragewort	Artikel	Singular	Artikel	Plural
Nominativ	Wer oder was?	**das**	Buch	**die**	Bücher
Genitiv	Wessen?	**des**	Buches	**der**	Bücher
Dativ	Wem?	**dem**	Buch	**den**	Büchern
Akkusativ	Wen oder was?	**das**	Buch	**die**	Bücher
Nominativ	Wer oder was?	**das**	Fenster	**die**	Fenster
Genitiv	Wessen?	**des**	Fensters	**der**	Fenster
Dativ	Wem?	**dem**	Fenster	**den**	Fenstern
Akkusativ	Wen oder was?	**das**	Fenster	**die**	Fenster
Nominativ	Wer oder was?	**das**	Kind	**die**	Kinder
Genitiv	Wessen?	**des**	Kindes	**der**	Kinder
Dativ	Wem?	**dem**	Kind	**den**	Kindern
Akkusativ	Wen oder was?	**das**	Kind	**die**	Kinder
Nominativ	Wer oder was?	**das**	Haus	**die**	Häuser
Genitiv	Wessen?	**des**	Hauses	**der**	Häuser
Dativ	Wem?	**dem**	Haus	**den**	Häusern
Akkusativ	Wen oder was?	**das**	Haus	**die**	Häuser

DER UNBESTIMMTE ARTIKEL

- Kommt ein Substantiv oder ein Nomen in einer Erzählung das erste Mal vor, wird es mit dem **unbestimmten Artikel (ein, eine, ein)** eingeführt.
- Der **unbestimmte Artikel** wird immer dann benutzt, wenn eine Sache oder Person unbekannt oder nicht bestimmt ist oder keinen Namen hat.
- Wird die Sache oder die Person **wiederholt**, wird der **bestimmte Artikel** gebraucht.

Beispiel:
Ich habe gestern in der Stadt **einen** Mann gesehen. **Der** Mann hatte **einen** grauen Regenmantel an. **Der** graue Regenmantel war ihm aber zu groß.

- Der **unbestimmte Artikel** steht immer nur für die Menge **eins** und wird daher auch nur in der Einzahl (Singular) verwendet.
- Der **unbestimmten Artikel** wird mit dem jeweils zugehörigen Nomen <u>dekliniert</u> und entfällt, wenn das zugehörige Substantiv im Plural (Mehrzahl) steht.

Der unbestimmte Artikel entfällt, ...

- wenn **Allgemeines** ausgedrückt werden soll:
  - „*Schiedsrichter* und *Linienrichter* sind perfekt aufeinander eingespielt."
- wenn **Verben** oder **Adjektive zu Nomen werden** / bei **Substantivierung**:
  - „weniger Essen macht schlank!"
  - „Laufen und viel Bewegung an der frischen Luft ist gesund!"
- wenn **unzählbare Dinge** benannt werden:
  - „Hopfen und Malz, Gott erhalt´s."
  - „Bier auf Wein, das lass sein."
- bei Verwendung von Eigennamen oder Titeln:
  - „Kommt Mohamed auch zum Geburtstag?"
  - „Morgen habe ich einen Termin bei Doktor Meyer."

DEKLINATION DES UNBESTIMMTEN ARTIKELS

DER UNBESTIMMTE ARTIKEL

	m	f	n
NOM.	EIN	EINE	EIN
GEN.	EINES	EINER	EINES
DAT.	EINEM	EINER	EINEM
AKK.	EINEN	EINE	EIN

Deklinationsbeipiele

a) maskulin (männlich)

	Fragewort	Artikel	Singular	Artikel	Plural
Nominativ	Wer oder was?	**ein**	Hund	-	Hunde
Genitiv	Wessen?	**eines**	Hundes	-	Hunde
Dativ	Wem?	**einem**	Hund	-	Hunden
Akkusativ	Wen oder was?	**einen**	Hund	-	Hunde
Nominativ	Wer oder was?	**ein**	Tisch	-	Tische
Genitiv	Wessen?	**eines**	Tisches	-	Tische
Dativ	Wem?	**einem**	Tisch	-	Tischen
Akkusativ	Wen oder was?	**einen**	Tisch	-	Tische
Nominativ	Wer oder was?	**ein**	Ball	-	Bälle
Genitiv	Wessen?	**eines**	Balles	-	Bälle
Dativ	Wem?	**einem**	Ball	-	Bällen
Akkusativ	Wen oder was?	**einen**	Ball	-	Bälle
Nominativ	Wer oder was?	**ein**	Tanz	-	Tänze
Genitiv	Wessen?	**eines**	Tanzes	-	Tänze
Dativ	Wem?	**einem**	Tanz	-	Tänzen
Akkusativ	Wen oder was?	**einen**	Tanz	-	Tänze

b) feminin (weiblich)

	Fragewort	Artikel	Singular	Artikel	Plural
Nominativ	Wer oder was?	**eine**	Katze	-	Katzen
Genitiv	Wessen?	**einer**	Katze	-	Katzen
Dativ	Wem?	**einer**	Katze	-	Katzen
Akkusativ	Wen oder was?	**eine**	Katze	-	Katzen
Nominativ	Wer oder was?	**eine**	Maus	-	Mäuse
Genitiv	Wessen?	**einer**	Maus	-	Mäuse
Dativ	Wem?	**einer**	Maus	-	Mäusen
Akkusativ	Wen oder was?	**eine**	Maus	-	Mäuse
Nominativ	Wer oder was?	**eine**	Dame	-	Damen
Genitiv	Wessen?	**einer**	Dame	-	Damen
Dativ	Wem?	**einer**	Dame	-	Damen
Akkusativ	Wen oder was?	**eine**	Dame	-	Damen
Nominativ	Wer oder was?	**eine**	Fahrt	-	Fahrten
Genitiv	Wessen?	**einer**	Fahrt	-	Fahrten
Dativ	Wem?	**einer**	Fahrt	-	Fahrten
Akkusativ	Wen oder was?	**eine**	Fahrt	-	Fahrten

c) neutral (sächlich)

	Fragewort	Artikel	Singular	Artikel	Plural
Nominativ	Wer oder was?	**ein**	Buch	-	Bücher
Genitiv	Wessen?	**eines**	Buches	-	Bücher
Dativ	Wem?	**einem**	Buch	-	Büchern
Akkusativ	Wen oder was?	**ein**	Buch	-	Bücher
Nominativ	Wer oder was?	**ein**	Fenster	-	Fenster
Genitiv	Wessen?	**eines**	Fensters	-	Fenster
Dativ	Wem?	**einem**	Fenster	-	Fenstern
Akkusativ	Wen oder was?	**ein**	Fenster	-	Fenster
Nominativ	Wer oder was?	**ein**	Kind	-	Kinder
Genitiv	Wessen?	**eines**	Kindes	-	Kinder
Dativ	Wem?	**einem**	Kind	-	Kindern
Akkusativ	Wen oder was?	**ein**	Kind	-	Kinder
Nominativ	Wer oder was?	**ein**	Haus	-	Häuser
Genitiv	Wessen?	**eines**	Hauses	-	Häuser
Dativ	Wem?	**einem**	Haus	-	Häusern
Akkusativ	Wen oder was?	**ein**	Haus	-	Häuser

GENUS (GESCHLECHT) EINES SUBSTANTIVS

- Das **Genus (= Geschlecht)** gibt an, ob ein Nomen **„männlich"**, **„weiblich"** oder **„sächlich"** ist.
- Wir können am Nomen oft nicht erkennen, ob es
    - **m (= maskulin)**,
    - **f (= feminin)** oder
    - **n (= neutral)** ist.
- Es gibt **keine eindeutige Regel** im Deutschen, ob ein Nomen maskulin, feminin oder neutral ist.
- Daher ist es wichtig, das Nomen **immer mit dem Artikel** zu lernen!
- Das Genus kann jedoch vom <u>biologischen Geschlecht</u> des Nomens abweichen.
- ein Nomen hat immer **das gleiche Genus** - im Gegensatz zu Kasus und Numerus, die veränderlich sind.
- Wird ein Nomen mit einem **Artikel**, einem **Adjektiv** oder einem **Pronomen** kombiniert, passen sich diese in der Regel in ihrer Form an das Genus des Nomens an.
- Man kann sich nicht darauf verlassen, dass ein Nomen im Deutschen das gleich Geschlecht hat wie z.B. ihm Italienischen oder Spanischen oder Französischen. (z.B. **die** Sonne (f) - **le** soleil (m), **der** Mond (m) - **la** lune (f) usw.)

LATEINISCHER NAME	DEUTSCHER NAME	ARTIKEL
maskulin	männlich	der
feminin	weiblich	die
neutrum	sächlich	das

Mark Twain hat gesagt:
„Jedes Substantiv hat sein grammatisches Geschlecht, und die Verteilung ist ohne Sinn und Methode. Man muss daher bei jedem Substantiv das Geschlecht extra mit lernen. Eine andere Methode gibt es nicht. Um das fertigzubringen, braucht man ein Gedächtnis wie ein Terminkalender."

Hier ein paar Beispiele für maskuline, feminine und neutrale Nomen:

Ein paar Beispiele für <u>maskuline</u> Nomen:

MERKMAL	BEISPIEL
viele Geldbezeichnungen	der Euro der Dollar der Franken usw.
Monate	der Januar der Februar der März der April der Mai der Juni der Juli der August der September der Oktober der November der Dezember
Jahreszeiten	der Frühling der Sommer der Herbst der Winter
Wettererscheinungen	der Regen der Schauer der Schnee der Hagel der Frost der Sturm der Wind

Nomen mit der Endung „-ling"	der Lehrling
	der Schmetterling
	der Feigling
	der Täufling
	der Säugling
	der Neuling
	der Fäustling
	der Erstling
Himmelsrichtungen	der Norden
	der Süden
	der Westen
	der Osten
	der Nordwesten
	der Nordosten
	der Südwesten
	der Südosten
Nomen mit der Endung „-ent"	der Student
	der Dozent
Nomen mit der Endung „-ier"	der Offizier
	der Kavalier
Nomen mit der Endung „-ist"	der Jurist
	der Optimist
Nomen mit der Endung „-or"	der Motor
	der Direktor

männliche Personen	der Mann der Onkel der Neffe der Junge der Lehrer der Bauer der Angestellte der Arbeiter der Arzt der Leser der Musiker der Kellner der Architekt der Krankenpfleger der Präsident
Nomen mit der Endung „-ör" oder „-eur"	der Likör der Frisör der Friseur der Amateur
Nomen mit der Endung „-at"	der Automat
Nomen mit der Endung „-iker"	der Techniker der Mechaniker der Akademiker
Nomen mit der Endung „-ast"	der Gymnast der Phantast
Nomen mit der Endung „-ismus"	der Realismus der Optimismus
Automarken	der BMW der Skoda der VW der Mercedes der Opel der Hyundai usw.

Ein paar Beispiele für <u>feminine</u> Nomen:

als Nomen verwendete Zahlen	die Eins die Zwei die Drei die Vier die Fünf die Sechs die Sieben die Acht die Neun die Zehn die Elf die Zwölf usw.
Nomen mit der Endung „-ung"	die Erzählung die Meinung die Endung die Befreiung
Nomen mit der Endung „-keit"	die Fröhlichkeit die Heiterkeit die Schwierigkeit
Nomen mit der Endung „-heit"	die Freiheit die Feigheit die Faulheit
Nomen mit der Endung „-schaft"	die Meisterschaft die Herrschaft die Mannschaft
Nomen mit der Endung „-ei"	die Metzgerei die Schlachterei die Bäckerei die Schusterei die Bücherei
Nomen mit der Endung „-a"	die Kamera die Mama die Pizza

Nomen mit der Endung „-ade"	die Schokolade die Marmelade die Oblade die Schublade
Nomen mit der Endung „-ette"	die Marionette die Zigarette die Toilette
viele Namen von Bäumen und Pflanzen	die Buche die Tanne die Esche die Eiche die Rose die Nelke die Lilie
Nomen mit der Endung „-ät"	die Identität die Diät die Realität die Qualität
Nomen mit der Endung „-ive"	die Offensive die Alternative
Nomen mit der Endung „-ion"	die Dimension die Tradition die Diskussion
Nomen mit der Endung „-ur"	die Natur die Kultur die Tastatur

Ein paar Beispiele für neutrale Nomen:

Nomen mit der Endung „-tel"	das Drittel das Viertel das Fünftel das Sechstel das Siebtel usw.
Nomen mit der Endung „-tum"	das Album das Eigentum das Datum das Aquarium das Museum
Nomen mit der engl. Endung „-ing"	das Meeting das Training das Doping das Timing
Nomen mit der Endung „ment"	das Experiment das Fundament das Dokument das Testament
Nomen mit der Endung „-ma"	das Klima das Charisma das Koma das Komma das Drama das Thema
Nomen mit der Endung „-ett"	das Ballett das Tablett
Nomen mit der Endung „-o"	das Auto das Büro das Kino

SINGULAR & PLURAL

Der **Numerus** gibt bei den Nomen an, ob das vom Nomen Bezeichnete *einmal* oder *mehrmals* vorhanden ist.
In der deutschen Sprache kommen die meisten **Nomen (Substantive)** in **zwei** Formen vor. Die beiden Numeri heißen:

- **Singular = Einzahl**   Das

  vom Nomen Bezeichnete ist **einmal** vorhanden.
  - *ein Haus*
  - *das Kind*
  - *ein Mann*
  - *die Tasche*
  - *der Hut*

- **Plural = Mehrzahl**   Das

  vom Nomen Bezeichnete ist **mehrmals** vorhanden.
  - *viele Häuser*
  - *die Kinder*
  - *zwei Männer*
  - *die Taschen*
  - *drei Hüte*

Es gibt auch **Ausnahmen, die nur in einer der Formen** existieren:

- Ausschließlich im **Singular** kommen z.B. *das Publikum, die Erziehung, die Milch, die Schokolade, der Neid, die Liebe, das Gute, das Lesen, das Glück, das Eisen, das Kupfer, das Gold, der Regen, der Schnee, der Lärm, der Schutz, die Jugend, die Post, ... usw. vor.*
- Ausschließlich im **Plural** kommen z.B. *die USA, die Pyrenäen, die Azoren, die Kosten, die Spesen, die Spaghetti, die Kinderjahre, die X-Beine, die O-Beine, die Masern, die Pocken, die Röteln, die Eltern, die Geschwister, die Jeans, die Shorts, die Ferien.... usw. vor.*

Beispiele für Substantive im Singular und Plural

EINZAHL (SINGULAR)		MEHRZAHL (PLURAL)	
das	Auto	die	Autos
das	Fahrrad	die	Fahrräder
das	Motorrad	die	Motorräder
das	Flugzeug	die	Flugzeuge
die	Bahn	die	Bahnen
der	Fußgänger	die	Fußgänger
das	Verkehrsschild	die	Verkehrsschilder
der	Bahnhof	die	Bahnhöfe
die	Haltestelle	die	Haltestellen
der	Fahrplan	die	Fahrpläne
die	Fahrzeit	die	Fahrzeiten
der	Flughafen	die	Flughäfen
das	Schiff	die	Schiffe
der	Hafen	die	Häfen
das	Boot	die	Boote
das	Haus	die	Häuser
das	Gebäude	die	Gebäude
der	Turm	die	Türme
das	Zelt	die	Zelte
das	Benzin	die	Benzine
der	Diesel	die	Diesel
das	Motoröl	die	Motoröle
der	Sitzplatz	die	Sitzplätze
das	Nummernschild	die	Nummernschilder

EINZAHL (SINGULAR)		MEHRZAHL (PLURAL)	
das	Spiel	die	Spiele
das	Taxi	die	Taxen
das	Restaurant	die	Restaurants
das	Kind	die	Kinder
die	Schwester	die	Schwestern
der	Ehemann	die	Ehemänner
das	Flugzeug	die	Flugzeuge
der	Besen *grün*	die	Besen
die	Ehefrau	die	Ehefrauen
der	Tisch	die	Tische
die	Zeitschrift	die	Zeitschriften
der	Mensch	die	Menschen
das	Meer	die	Meere
der	Vogel	die	Vögel
das	Wort	die	Worte / Wörter
das	Zeichen *symbol*	die	Zeichen
das	Tier	die	Tiere
der	Buchstaben	die	Buchstaben
das	Reh	die	Rehe
das	Regal	die	Regale
der	Kopf	die	Köpfe
das	Land	die	Länder
der	Zug	die	Züge
das	Papier	die	Papiere

EINZAHL (SINGULAR)		MEHRZAHL (PLURAL)	
das	Zimmer	die	Zimmer
das	Bett	die	Betten
das	Sofa	die	Sofas
das	Schaf	die	Schafe
die	Kuh	die	Kühe
der	Ochse	die	Ochsen
das	Rind	die	Rinder
der	Stuhl	die	Stühle
die	Pflanze	die	Pflanzen
der	Baum	die	Bäume
die	Wiese	die	Wiesen
der	Bach	die	Bäche
das	Telefon	die	Telefone
der	————	die	Leute
das	————	die	Ferien
das	————	die	Spaghetti
das	Objekt	die	Objekte
der	Wald	die	Wälder
das	Gras	die	Gräser
das	Essen	die	Essen
der	Saft	die	Säfte
das	Foto	die	Fotos
der	Drucker	die	Drucker
das	Ei	die	Eier

GENITIV (Singular und Plural)

Beispiele für Substantive im Genitiv Singular und Genitiv Plural:

NOMINATIV (SINGULAR)		GENITIV (SINGULAR)		GENITIV (PLURAL)	
der	Tisch	des	Tisches	der	Tische
der	Stuhl	des	Stuhles	der	Stühle
die	Küche	der	Küche	der	Küchen
die	Tür	der	Tür	der	Türen
der	Teller	des	Tellers	der	Teller
die	Tasse	der	Tasse	der	Tassen
die	Gabel	der	Gabel	der	Gabeln
das	Messer	des	Messers	der	Messer
der	Löffel	des	Löffels	der	Löffel
die	Schüssel	der	Schüssel	der	Schüsseln
der	Topf	des	Topfes	der	Töpfe
die	Lampe	der	Lampe	der	Lampen
die	Schere	der	Schere	der	Scheren
das	Licht	des	Lichts	der	Lichter
der	Schrank	des	Schrankes	der	Schränke
der	Teppich	des	Teppichs	der	Teppiche
die	Kaffeemaschine	der	Kaffeemaschine	der	Kaffeemaschinen
der	Staubsauger	des	Staubsaugers	der	Staubsauger
der	Teebeutel	des	Teebeutels	der	Teebeutel
die	Milch	der	Milch	—	—
der	Tee	des	Tees	—	—
der	Dosenöffner	des	Dosenöffners	der	Dosenöffner
die	Kerze	der	Kerze	der	Kerzen
das	Brot	des	Brotes	der	Brote

NOMINATIV (SINGULAR)		GENITIV (SINGULAR)		GENITIV (PLURAL)	
das	Auto	des	Autos	der	Autos
das	Fahrrad	des	Fahrrads	der	Fahrräder
das	Motorrad	des	Motorrads	der	Motorräder
das	Flugzeug	des	Flugzeuges	der	Flugzeuge
die	Bahn	der	Bahn	der	Bahnen
der	Fußgänger	des	Fußgänger	der	Fußgänger
das	Verkehrsschild	des	Verkehrsschildes	der	Verkehrsschilder
der	Bahnhof	des	Bahnhofs	der	Bahnhöfe
die	Haltestelle	der	Haltestelle	der	Haltestellen
der	Fahrplan	des	Fahrplans	der	Fahrpläne
die	Fahrzeit	der	Fahrzeit	der	Fahrzeiten
der	Flughafen	des	Flughafens	der	Flughäfen
das	Schiff	des	Schiffes	der	Schiffe
der	Hafen	des	Hafens	der	Häfen
das	Boot	des	Bootes	der	Boote
das	Haus	des	Häuser	der	Häuser
das	Gebäude	des	Gebäudes	der	Gebäude
der	Turm	des	Turmes	der	Türme
das	Zelt	des	Zeltes	der	Zelte
das	Benzin	des	Benzins	-	-
der	Diesel	des	Diesels	-	-
das	Motoröl	des	Motoröls	der	Motoröle
der	Sitzplatz	des	Sitzplatzes	der	Sitzplätze
das	Nummernschild	des	Nummernschildes	der	Nummernschilder

NOMINATIV (SINGULAR)		GENITIV (SINGULAR)		GENITIV (PLURAL)	
das	Zimmer	des	Zimmers	der	Zimmer
das	Bett	des	Bettes	der	Betten
das	Sofa	des	Sofas	der	Sofas
das	Schaf	des	Schafes	der	Schafe
die	Kuh	der	Kuh	der	Kühe
der	Ochse o⊥	die	Ochsen	der	Ochsen
das	Rind	des	Rindes	der	Rinder
der	Stuhl	die	Stuhles	der	Stühle
die	Pflanze	der	Pflanze	der	Pflanzen
der	Baum	des	Baumes	der	Bäume
die	Wiese	der	Wiese	der	Wiesen
der	Bach	des	Baches	der	Bäche
das	Telefon	des	Telefons	der	Telefone
der	Hund	des	Hundes	der	Hunde
das	Mäuschen	des	Mäuschens	der	Mäuschen
der	Zwerg	des	Zwerg(e)s	der	Zwerge
das	Objekt	des	Objektes	der	Objekte
der	Wald	die	Waldes	der	Wälder
das	Gras	des	Grases	der	Gräser
das	Essen	des	Essens	der	Essen
der	Saft	die	Saftes	der	Säfte
das	Foto	des	Fotos	der	Fotos
der	Drucker	des	Druckers	der	Drucker
das	Ei	des	Ei(e)s	der	Eier

NEGATION (VERNEINUNG)

NEGATION (VERNEINUNG)
Die Negation verneint eine Aussage.
Die Verneinung wird durch
Negationswörter wie nicht, kein,
weder ... noch, nichts, niemand usw.
ausgedrückt.

Die einfachste Verneinung ist das „NEIN".

Nein ist die **negative Antwort** auf eine Frage, die positiv oder negativ beantwortet werden kann (Entscheidungsfrage), und bedeutet somit die **Negation einer Aussage**.

Beispiele:

a) Kommst du mit ins Kino? **Nein.**

b) Sind Sie Herr Meier? **Nein.**

c) Hat dir das Essen geschmeckt? **Nein.**

Auf eine **negative Frage** lautet die positive Antwort „**doch**".

d) Hat dir der Film **nicht** gefallen? **Doch,** er hat mir gefallen.

e) Sind Sie **nicht** Herr Meier? **Doch,** ich bin Herr Meier.

f) Hat dir das Essen **nicht** geschmeckt? **Doch**, es hat mir geschmeckt.

I. DIE SATZNEGATION

- Bei der **Satznegation** wird die ganze Aussage verneint.
- Besteht das Prädikat nur aus einem Verbteil, steht „**nicht**" in einem Hauptsatz **am Satzende**.

1) Ich sehe meinen Freund **nicht**.

2) Du hörst die Musik **nicht**.

3) Er holt das Getränk **nicht**.

4) Der Kellner bringt das Essen **nicht**.

5) Das Auto fährt **nicht**.

6) Der Eismann kommt **nicht**.

7) Der Aufzug funktioniert **nicht**.

8) Die Uhr geht **nicht**.

9) Wir hören dich **nicht**.

10) Mein bester Freund kommt heute **nicht**.

- Besteht das Prädikat aus mehreren Teilen, steht „**nicht**" in der Regel vor dem infiniten Verbteil.

1) Ich habe meinen Freund **nicht** gesehen.
2) Du hast die Musik **nicht** gehört.
3) Der Kellner hat das Essen **nicht** gebracht.
4) Hast du deinen Ring wieder gefunden? **Nein**, ich habe ihn **nicht** wieder gefunden.
5) Mein Freund hat mich seit drei Tagen **nicht** mehr besucht.

- **„Nicht"** steht auch vor Nomen, die zum Verb gehören

1) Hans kann **nicht** Fussball spielen.
2) Tina kann **nicht** Klavier spielen.
3) Ahmadi kann **nicht** Autofahren.

- **„Nicht"** steht vor Präpositionalobjekten und den meisten Ortsangaben.

1) Ich wohne in Hamburg und **nicht** in Berlin.
2) Wartest du auf die S-Bahn nach Hamburg? **Nein**, ich warte **nicht** auf diese S-Bahn.
3) Fardin war gestern **nicht** im Kino.
4) Das Geld liegt **nicht** auf der Straße.

- Bei Angaben der „Art und Weise" wird **"nicht"** vor die **modalen Angaben** gestellt.

1) In meinem neuen Job muss ich **nicht** viel mehr arbeiten.
2) Gestern hat Alina **nicht** vergebens auf mich gewartet.
3) Ich gehe **nicht** gern ins Theater. ➞ IN VAIN
4) Tina will **nicht** so oft Klavier üben.
5) Du brauchst **nicht** anders zu werden!
6) Der Zug ist **nicht** pünktlich am Bahnhof angekommen.
7) Warum hast du so schlechte Noten im Zeugnis bekommen? Warst du **nicht** fleißig genug?
8) Tim geht **nicht** aus Langeweile mit Tina ins Kino.
9) Ich möchte **nicht** ohne meine Frau in Urlaub fahren.
10) Tawil möchte **nicht** vorzeitig von der Party nach Hause gehen.
EARLY

II. DIE WORTNEGATION

Wenn nicht der ganze Satz negiert werden soll, sondern nur ein <u>bestimmter Satzteil</u> (z.B.: Nominativ-, Akkusativ-, Dativ-Ergänzung oder Angaben), steht das Negationswort "**nicht**" dann **vor dem Satzteil**, das verneint werden soll.

1) **Nicht** Ahmadi hat den Tee gekocht, sondern Mohamed.

2) Er hat **nicht** ein Brathähnchen gegessen, sondern gleich zwei.

3) Fardin schenkt **nicht** mir den Ring, sondern Sarah.

4) Du sollst das Fenster **nicht** zumachen, sondern weiter aufmachen.

5) Alina ist **nicht** mit ins Kino gegangen, sondern Tina.

6) Du räumst **nicht** nachher dein Zimmer auf, sondern jetzt.

7) Ich kaufe **nicht** für dich die Blumen, sondern für deine Freundin.

8) Der Sohn des Nachbars besitzt einen **nicht** gesunden Hund.

9) Die Tochter meines Freundes hat **nicht** standesgemäß geheiratet.

10) Ramadan ist ein **nicht** christlicher Fastenmonat.

11) Deine Krawatte ist **nicht** passend zu deinem Hemd.

12) Deine **nicht** gewaschene Hose kommt heute noch in die Reinigung.

13) Es liegt **nicht** an dir, sondern an mir.

14) Mohammed hat **nicht** zwei Brüder, sondern fünf Brüder.

15) Ich habe **nicht** Bauchweh, sondern Kopfschmerzen.

16) Ich habe doch **nicht** Geld wie Heu.

17) Ich habe den Brief **nicht** zur Hand.

18) Er hat **nicht** eine Flasche Bier getrunken, sondern gleich einen ganzen Kasten.

III.NEGATION MIT KEIN

Die Negation eines Nomens mit **bestimmten Artikel** lautet "nicht".

Die Negation eines Nomens mit **unbestimmten Artikel** lautet "kein".

Die Negation eines Nomens mit **Nullartikel** lautet "kein".

- **Der unbestimmte Artikel wird mit "kein-" verneint.**
- **Der Negationsartikel "kein-" wird wie der unbestimmte Artikel dekliniert.**

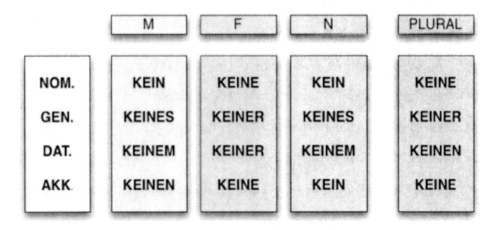

	M	F	N	PLURAL
NOM.	KEIN	KEINE	KEIN	KEINE
GEN.	KEINES	KEINER	KEINES	KEINER
DAT.	KEINEM	KEINER	KEINEM	KEINEN
AKK.	KEINEN	KEINE	KEIN	KEINE

1) Ist das ein Hund? Nein, das ist **kein** Hund, sondern eine Katze.

2) Ist das eine Tasse? Nein, das ist **keine** Tasse, sondern ein Becher.

3) Sind das Streichhölzer? Nein, das sind **keine** Streichhölzer, sondern Feuerzeuge.

4) Hat Ahmadi eine Tochter? Nein, er hat **keine** Tochter, sondern einen Sohn.

5) Mohammed ist **kein** Mädchenname, sondern eine Jungenname.

6) Ich habe **keine** Ahnung, was du vor hast.

7) **Kein** Mensch darf sein Auto auf dieser Straße waschen.

8) Ist das ein Bett? Nein, das ist **kein** Bett, sondern ein Sofa.

9) Ich habe **keinen** Hunger, aber Durst.

10) Ich habe **keinen** Tee, sondern Kaffee bestellt.

11) Ich habe mir **kein** T-Shirt, sondern einen Pullover gekauft.

12) Ich fahre **kein** blaues Auto, sondern ein rotes.

13) Ich habe mit **keinem** Menschen darüber gesprochen.

14) Hast du gar **keine** Haustiere?

15) Dass du **kein** Geld mehr hast, hast du mit keiner Silbe erwähnt.

16) Wir haben in dieser Woche leider **keine** Zeit mehr für dich.

17) Ich kaufe mir **kein** neues Auto.

18) Ich habe gestern **kein** Mittagessen gehabt.

19) Du hast mich letzte Woche **kein** einziges Mal angerufen.

20) **Keine** liebt dich so wie ich.

JEMAND, NIEMAND, ALLE, ETWAS, NICHTS, ALLES

REPLACEMENT PROXY

- **JEMAND** und **NIEMAND** sind **Indefinitpronomen** und werden als Stellvertreter eines Nomens verwendet.
- Sie stehen **nur im Singular**.

Das Pronomen *jemand* bezieht sich auf eine unbestimmte, nicht näher bezeichnete Person. Das Pronomen *niemand* ist die Verneinung von *jemand*. Seine Bedeutung lässt sich mit *kein Mensch, kein einziger* umschreiben

	nichts	etwas	jemand	niemand	alle	alles
Nominativ	nichts	etwas	jemand	niemand	alle	alles
Dativ	nichts	etwas	jemandem	niemandem	allem	allem
Akkusativ	nichts	etwas	jemanden	niemanden	alle	alles

1. Hast du schon **etwas** über den neuen Film gehört? Nein, ich habe noch **nichts** gehört. aber frag doch mal Heinz. Der weiß immer **alles** .

2. Ich kenne **keinen**, der es dir sonst sagen könnte.

3. Guten Tag, Frau Fuchs. Kaufen Sie auch bei EDEKA ein? Suchen Sie **etwas** Bestimmtes?

4. Ja, ich suche Erdbeerjoghurt. Aber der ist scheinbar **alle.**

5. Frag doch die Kassiererin. Die weiß immer **alles** .

6. Ja, hoffentlich! Gestern wusste die andere Kassiererin nämlich **nichts** .

7. Hier ist zur Zeit **niemand** zu sprechen. Die Damen sind **alle** in die Mittagspause gegangen.

8. Frau Kurz, wissen Sie schon **etwas** über die Sonderangebote? Nein, ich weiss **nichts** . Hier ist **jemand**, den wir fragen können.

9. Zum Einkaufen extra nach Hamburg zu fahren, kann man **niemandem** empfehlen.

DAS DIMINUTIV (VERKLEINERUNG)

- Der größte Teil des deutschen Wortschatzes besteht aus **Substantiven** (= **Hauptwörter**).
- Substantive sind Hauptwörter, die immer **groß** geschrieben werden.
- Wir unterscheiden zwischen **Gegenstandswörter** (z.B. der Mensch, die Frau, der Freund, das Gold, das Öl....) und **Begriffswörter** (z.B. die Liebe, der Hass, der Krieg, der Frieden, die Dummheit....)
- Substantive werden von einem **bestimmten Artikel** (der, die das) oder **einem unbestimmten Artikel** (ein, eine, einer) begleitet.
- Substantive haben ein **Geschlecht (=Genus)**. Das Genus eines Substantivs erkennt man an seinem **Artikel**:
  - **maskulin** (männlich): **der** Hund
  - **feminin** (weiblich) : **die** Katze
  - **neutrum** (sächlich): **das** Kind
- Substantive können eine **Verkleinerungsform (Diminutiv)** haben.

> **Als *Diminutiv* wird in der Grammatik die Verkleinerung & Verniedlichung eines *Substantivs* bezeichnet.**

> Composizionia

DEN Gio INDICATO

Beispielsweise wird aus ....

das Feuer	das Feuer**chen**
der Tanz	das Tänz**chen**
der Hans	das Häns**chen**
der Fluss	das Flüss**chen**
die Hand	das Händ**chen**

Jedes Substantiv kann ein Diminutiv haben!

> **Der bestimmte Artikel des Diminutivs ist stets _das_, weshalb das Substantiv in der Deminutivform stets _sächlich_ ist. Hierbei gibt es keine Ausnahmen.**

Diminutive dienen der Verniedlichung, z. B.

- als **Koseform** (Hose ——> Höschen, Schatz ——> Schätzchen, Maus ——> Mäuselein, usw.)
- zur **Bildung von Kosenamen** (Hans ——> Hansi, Kurt ——> Kurtle, Klaus ——> Klausi usw.)
- auch der **Abwertung** („Das ist kein Haus, das ist ein **Häuschen!**").
  ↳ DEVALUATION

Der Diminutiv wird im Deutschen durch das Anhängen der Endungen _-lein_ oder _-chen_ gebildet.

Auch andere Endungen sind möglich, sie sind typisch für bestimmte Dialekte, z. B.
- **_-le_** im Schwäbischen (Spatz ——> Spätzle, Schatz ——> Schätzle)
- **-erl** im Bayerischen (Sack ——> Sackerl, Zucker ——> Zuckerl)
- **-li** im Schweizerischen (Zucker   Züggerli, Kasse ——> Kässeli)

Weitere Beispiele für Diminutive:

- die Katze ——> das Kätzchen, das Kätzlein, das Kätzle
- das Reh ——> das Rehchen, das Rehlein,
- das Schwein ——> das Schweinchen, das Schweinlein, das Schweinle
- das Lamm ——> das Lämmchen, das Lämmlein, das Lämmle
- der Schwanz ——> das Schwänzchen, das Schwänzle
- das Brot ——> das Brötchen, das Brödle
- der Kamm ——> das Kämmle
- die Wurst ——> das Würstchen, das Würstlein, das Würstle
- das Wasser ——> das Wässerchen, das Wässerle
- der Vogel ——> das Vögelchen, das Vöglein, das Vögele
- die Maus ——> das Mäuschen, das Mäuselein, das Mäusele

- die Dose ——> das Döschen, das Döslein
- die Rose ——> das Röschen, das Röslein
- das Pferd ——> das Pferdchen, das Pferdlein
- der Mann ——> das Männchen, das Männlein, das Mängel
- die Sau ——> das Säule
- der Hund ——> das Hündchen, das Hündlein, das Hündle
- die Hand ——> das Händchen, das Händlein, das Händle
- die Bank ——> das Bänkchen, das Bänklein, das Bänkle
- das Lied ——> das Liedchen, das Liedlein, das Liedle

In deutschen Volksliedern kommen oft verniedlichende Substantive vor, wie zum Beispiel:

- „Kling, **Glöckchen**, klingelingeling…"
- „Ihr **Kinderlein**, kommet…"
- „**Schneeflöckchen**, **Weißröckchen**…"
- „Wenn ich ein **Vöglein** wär…."
- „**Hänsel** und **Gretel** verirrten sich im Wald…."
- „**Hänschen** klein, ging allein…"
- „Ein **Männlein** steht im Walde…"
- „Wer hat die schönsten **Schäfchen**…"
- „**Häschen** in der Grube…"
- „Summ, summ, summ, **Bienchen** summ herum…."

Auch in Gedichten gibt es Diminutive, wie zum Beispiel bei **Christian Morgenstern** (deutscher Dichter: * 06.05.1871 - 31.03.1914)

Das **Weihnachtsbäumlein**

Es war einmal ein **Tännlein**
Mit braunen **Kuchenherzelein**
und Glitzergold und **Äpflein** fein und vielen bunten **Kerzelein**:
Das war am Weihnachtsfest so grün, als fing es eben an zu blühn.
Doch nach nicht gar zu langer Zeit, da stands im Garten unten,
und seine ganze Herrlichkeit
war, ach, dahingeschwunden.
Die grünen Nadeln war'n verdorrt, die **Herzlein** und die **Kerzlein** fort.
bis eines Tages der Gärtner kam,
den fror zu Haus im Dunkeln,
und es in seinen Ofen nahm
hei! tats da sprühn und funkeln!
Und flammte jubelnd himmelwärts
in hundert **Flämmlein** an Gottes Herz.

ZEITFORMEN

Die wichtigsten <u>Zeitformen</u> sind

- PRÄSENS (= GEGENWART),

- PERFEKT (= VOLLENDETE GEGENWART),

- PRÄTERITUM (VERGANGENHEIT, IMPERFEKT),

- PLUSQUAMPERFEKT (= VORVERGANGENHEIT) und

- FUTUR I (= ZUKUNFT) und FUTUR II

Beispiel für Präsens:

a) ich liebe dich

b) du redest mit mir

c) wir fahren Rad

d) ihr geht ins Kino

Beispiel für Perfekt:

a) ich habe dich geliebt

b) du hast mit mir geredet

c) wir sind Rad gefahren

d) ihr seid ins Kino gegangen

Beispiel für Plusquamperfekt:

a) ich hatte dich geliebt

b) du hattest mit mir geredet

c) wir waren Rad gefahren

d) ihr wart ins Kino gegangen

Beispiel für Präteritum:

a) ich liebte dich

b) du redetest mit mir

c) wir fuhren Rad

d) ihr gingt ins Kino

Beispiel für Futur I:

a) ich werde dich lieben

b) du wirst mit mir reden

c) wir werden Rad fahren

d) ihr werdet ins Kino gehen

Beispiel für Futur II:

a) ich werde dich geliebt haben

b) du wirst mit mir geredet haben

c) wir werden Rad gefahren sein

d) ihr werdet ins Kino gegangen sein

PRÄSENS (= GEGENWART)

Das **Präsens** wird gerne im Deutschen verwendet für:

- **Fakten oder ein Zustand in der Gegenwart**
- **Handlungen, die in der Gegenwart stattfinden**
- **Handlungen, die ausdrücken, wie lange schon etwas stattfindet**
- **Handlungen in der Zukunft , die schon festgelegt sind**

Beispiele:

a) Das ist ein schöner Tag. (Fakt)

b) Ich gehe jeden Mittwochabend zur Chorprobe. (Handlung)

c) Ich spiele schon seit meiner Jugend Klavier. (Handlung)

d) Am nächsten Samstag beginnt wieder die Bundesligasaison. (Handlung)

hoffen	glauben	lieben	lachen
ich hoffe	ich glaube	ich liebe	ich lache
du hoffst	du glaubst	du liebst	du lachst
er/sie/es hofft	er/sie/es glaubt	er/sie/es liebt	er/sie/es lacht
wir hoffen	wir glauben	wir lieben	wir lachen
ihr hofft	ihr glaubt	ihr liebt	ihr lacht
sie/Sie hoffen	sie/Sie glauben	sie/Sie lieben	sie/Sie lachen

weinen	tanzen	knien *unsul*	lesen
ich weine	ich tanze	ich knie	ich lese
du weinst	du tanzt	du kniest	du liest
er/sie/es weint	er/sie/es tanzt	er/sie/es kniet	er/sie/es liest
wir weinen	wir tanzen	wir knien	wir lesen
ihr weint	ihr tanzt	ihr kniet	ihr lest
sie/Sie weinen	sie/Sie tanzen	sie/Sie knien	sie/Sie lesen

laden	halten	warten	lächeln
ich lade	ich halte	ich warte	ich lächle
du lädst	du hältst	du wartest	du lächelst
er/sie/es lädt	er/sie/es hält	er/sie/es wartet	er/sie/es lächelt
wir laden	wir halten	wir warten	wir lächeln
ihr ladt	ihr haltet	ihr wartet	ihr lächelt
sie/Sie laden	sie/Sie halten	sie/Sie warten	sie/Sie lächeln

gehen	wandern	hüpfen	schlafen
ich gehe	ich wand(e)re	ich hüpfe	ich schlafe
du gehst	du wanderst	du hüpfst	du schläfst
er/sie/es geht	er/sie/es wandert	er/sie/es hüpft	er/sie/es schläft
wir gehen	wir wandern	wir hüpfen	wir schlafen
ihr geht	ihr wandert	ihr hüpft	ihr schlaft
sie/Sie gehen	sie/Sie wandern	sie/Sie hüpfen	sie/Sie schlafen

schimpfen	schreien	schreiben	schneiden
ich schimpfe	ich schreie	ich schreibe	ich schneide
du schimpfst	du schreist	du schreibst	du schneidest
er/sie/es schimpft	er/sie/es schreit	er/sie/es schreibt	er/sie/es schneidet
wir schimpfen	wir schreien	wir schreiben	wir schneiden
ihr schimpft	ihr schreit	ihr schreibt	ihr schneidet
sie/Sie schimpfen	sie/Sie schreien	sie/Sie schreiben	sie/Sie schneiden

husten	fahren	fliegen	spielen
ich huste	ich fahre	ich fliege	ich spiele
du hustest	du fährst	du fliegst	du spielst
er/sie/es hustet	er/sie/es fährt	er/sie/es fliegt	er/sie/es spielt
wir husten	wir fahren	wir fliegen	wir spielen
ihr hustet	ihr fahrt	ihr fliegt	ihr spielt
sie/Sie husten	sie/Sie fahren	sie/Sie fliegen	sie/Sie spielen

PRÄTERITUM (VERGANGENHEIT)

Das **Präteritum** wird im Deutschen bei Erzählungen und Berichten weniger in der Umgangssprache als viel mehr in der Schriftsprache verwendet bei:

- **abgeschlossenen Handlungen in der Vergangenheit**
- **Fakten oder Zuständen in der Vergangenheit**

Beispiele:

a) Das **war** ein schöner Tag. (Fakt)

b) Ich **ging** jeden Mittwochabend zur Chorprobe. (Handlung)

c) Ich **spielte** schon in meiner Jugend Klavier. (Handlung)

d) Letzten Samstag **begann** die Bundesligasaison. (Handlung)

hoffen	glauben	lieben	lachen
ich hoff**te**	ich glaub**te**	ich lieb**te**	ich lach**te**
du hoff**test**	du glaub**test**	du lieb**test**	du lach**test**
er/sie/es hoff**te**	er/sie/es glaub**te**	er/sie/es lieb**te**	er/sie/es lach**te**
wir hoff**ten**	wir glaub**ten**	wir lieb**ten**	wir lach**ten**
ihr hoff**tet**	ihr glaub**tet**	ihr lieb**tet**	ihr lach**tet**
sie/Sie hoff**ten**	sie/Sie glaub**ten**	sie/Sie lieb**ten**	sie/Sie lach**ten**

weinen	tanzen	knien	lesen
ich wein**te**	ich tan**zte**	ich kni**ete**	ich **las**
du wein**test**	du tan**ztest**	du kni**etest**	du **last**
er/sie/es wein**te**	er/sie/es tan**zte**	er/sie/es kni**ete**	er/sie/es **las**
wir wein**ten**	wir tan**zten**	wir kni**eten**	wir **lasen**
ihr wein**tet**	ihr tan**ztet**	ihr kni**etet**	ihr **last**
sie/Sie wein**ten**	sie/Sie tan**zten**	sie/Sie kni**eten**	sie/Sie **lasen**

laden	halten	warten	lächeln
ich lud	ich hielt	ich wartete	ich lächelte
du ludst	du hieltest	du wartetest	du lächeltest
er/sie/es lud	er/sie/es hielt	er/sie/es wartete	er/sie/es lächelte
wir luden	wir hielten	wir warteten	wir lächelten
ihr ludt	ihr hieltet	ihr wartetet	ihr lächeltet
sie/Sie luden	sie/Sie hielten	sie/Sie warteten	sie/Sie lächelten

gehen	wandern	hüpfen	schlafen
ich ging	ich wanderte	ich hüpfte	ich schlief
du gingst	du wandertest	du hüpftest	du schliefst
er/sie/es ging	er/sie/es wanderte	er/sie/es hüpfte	er/sie/es schlief
wir gingen	wir wanderten	wir hüpften	wir schliefen
ihr gingt	ihr wandertet	ihr hüpftet	ihr schlieft
sie/Sie gingen	sie/Sie wanderten	sie/Sie hüpften	sie/Sie schliefen

schimpfen	schreien	schreiben	schneiden
ich schimpfte	ich schrie	ich schrieb	ich schnitt
du schimpftest	du schriest	du schriebst	du schnittest
er/sie/es schimpfte	er/sie/es schrie	er/sie/es schrieb	er/sie/es schnitt
wir schimpften	wir schrien	wir schrieben	wir schnitten
ihr schimpftet	ihr schriet	ihr schriebt	ihr schnittet
sie/Sie schimpften	sie/Sie schrien	sie/Sie schrieben	sie/Sie schnitten

husten	fahren	fliegen	spielen
ich hustete	ich fuhr	ich flog	ich spielte
du hustetest	du fuhrst	du flogst	du spieltest
er/sie/es hustete	er/sie/es fuhr	er/sie/es flog	er/sie/es spielte
wir husteten	wir fuhren	wir flogen	wir spielten
ihr hustetet	ihr fuhrt	ihr flogt	ihr spieltet
sie/Sie husteten	sie/Sie fuhren	sie/Sie flogen	sie/Sie spielten

PERFEKT (= VOLLENDETE GEGENWART)

Das **Perfekt** wird gerne in der Umgangssprache im Deutschen dem
Präteritum (= Vergangenheit) vorgezogen. *CHOOSS, PRUFAR*
Das Perfekt wird verwendet, wenn die Folge der Handlung im Vordergrund
steht und die Handlung in der Vergangenheit abgeschlossen wurde.

Beispiele:

a) Das ist ein schöner Tag gewesen.

b) Ich bin jeden Mittwochabend zur Chorprobe gegangen.

c) Ich habe schon seit meiner Jugend Klavier gespielt.

d) Am nächsten Samstag haben wir den Beginn der Bundesligasaison.

hoffen	glauben	lieben	lachen
ich habe gehofft	ich habe geglaubt	ich habe geliebt	ich habe gelacht
du hast gehofft	du hast geglaubt	du hast geliebt	du hast gelacht
er/sie/es hat gehofft	er/sie/es hat geglaubt	er/sie/es hat geliebt	er/sie/es hat gelacht
wir haben gehofft	wir haben geglaubt	wir haben geliebt	wir haben gelacht
ihr habt gehofft	ihr habt geglaubt	ihr habt geliebt	ihr habt gelacht
sie/Sie haben gehofft	sie/Sie haben geglaubt	sie/Sie haben geliebt	sie/Sie haben gelacht

weinen	tanzen	knien	lesen
ich habe geweint	ich habe getanzt	ich habe gekniet	ich habe gelesen
du hast geweint	du hast getanzt	du hast gekniet	du hast gelesen
er/sie/es hat geweint	er/sie/es hat getanzt	er/sie/es hat gekniet	er/sie/es hat gelesen
wir haben geweint	wir haben getanzt	wir haben gekniet	wir haben gelesen
ihr habt geweint	ihr habt getanzt	ihr habt gekniet	ihr habt gelesen
sie/Sie haben geweint	sie/Sie haben getanzt	sie/Sie haben gekniet	sie/Sie haben gelesen

laden	halten	warten	lächeln
ich habe geladen	ich habe gehalten	ich habe gewartet	ich habe gelächelt
du hast geladen	du hast gehalten	du hast gewartet	du hast gelächelt
er/sie/es hat geladen	er/sie/es hat gehalten	er/sie/es hat gewartet	er/sie/es hat gelächelt
wir haben geladen	wir haben gehalten	wir haben gewartet	wir haben gelächelt
ihr habt geladen	ihr habt gehalten	ihr habt gewartet	ihr habt gelächelt
sie/Sie haben geladen	sie/Sie haben gehalten	sie/Sie haben gewartet	sie/Sie haben gelächelt

gehen	wandern	hüpfen	schlafen
ich bin gegangen	ich bin gewandert	ich bin gehüpft	ich habe geschlafen
du bist gegangen	du bist gewandert	du bist gehüpft	du hast geschlafen
er/sie/es ist gegangen	er/sie/es ist gewandert	er/sie/es ist gehüpft	er/sie/es hat geschlafen
wir sind gegangen	wir sind gewandert	wir sind gehüpft	wir haben geschlafen
ihr seid gegangen	ihr seid gewandert	ihr seid gehüpft	ihr habt geschlafen
sie/Sie sind gegangen	sie/Sie sind gewandert	sie/Sie sind gehüpft	sie/Sie haben geschlafen

schimpfen	schreien	schreiben	schneiden
ich habe geschimpft	ich habe geschrien	ich habe geschrieben	ich habe geschnitten
du hast geschimpft	du hast geschrien	du hast geschrieben	du hast geschnitten
er/sie/es hat geschimpft	er/sie/es hat geschrien	er/sie/es hat geschrieben	er/sie/es hat geschnitten
wir haben geschimpft	wir haben geschrien	wir haben geschrieben	wir haben geschnitten
ihr habt geschimpft	ihr habt geschrien	ihr habt geschrieben	ihr habt geschnitten
sie/Sie haben geschimpft	sie/Sie haben geschrien	sie/Sie haben geschrieben	sie/Sie haben geschnitten

husten	fahren	fliegen	spielen
ich habe gehustet	ich habe gefahren	ich bin geflogen	ich habe gespielt
du hast gehustet	du hast gefahren	du bist geflogen	du hast gespielt
er/sie/es hat gehustet	er/sie/es hat gefahren	er/sie/es ist geflogen	er/sie/es hat gespielt
wir haben gehustet	wir haben gefahren	wir sind geflogen	wir haben gespielt
ihr habt gehustet	ihr habt gefahren	ihr seid geflogen	ihr habt gespielt
sie/Sie haben gehustet	sie/Sie haben gefahren	sie/Sie sind geflogen	sie/Sie haben gespielt

PERFEKT BILDUNG

- Wenn eine Handlung **in der Vergangenheit** abgeschlossen wurde, verwenden wir in der deutschen Sprache das **Perfekt**.
- Das Perfekt ist eine sehr wichtige Zeitform in der deutschen Grammatik und wird fast immer benutzt, wenn wir über die Vergangenheit sprechen.
- Die Bildung des Perfekts erfolgt entweder mit dem Hilfsverb „**haben**" oder dem Hilfsverb „**sein**" und dem **Partizip II**.

- In der deutschen Grammatik steht das **konjugierte** Verb immer auf **Position 2**.
- Im Perfekt steht das **Hilfsverb auf Position 2.**

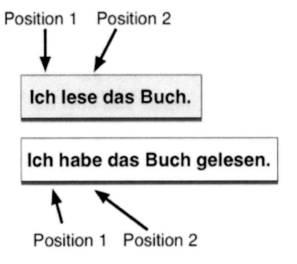

**Zur Perfektbildung brauchen wir die Präsens-Formen
von „sein" bzw. „haben" und das Partizip II.**

- Das Hilfsverb wird konjugiert und zeigt die <u>Person</u> an!
- Das <u>Partizip II</u> ist unveränderlich und schließt den Satz ab !!!

HILFSVERB	Partizip II
sein	ich bin gegangen
	du bist gegangen
	er/sie/es ist gegangen
	wir sind gegangen
	ihr seid gegangen
	sie/Sie sind gegangen
haben	ich habe gelesen
	du hast gelesen
	er/sie/es hat gelesen
	wir haben gelesen
	ihr habt gelesen
	sie/Sie haben gelesen

Wann wird »haben« und wann »sein« verwendet?

- Bei Verben der **Bewegung** verwenden normalerweise „**sein**".
  Beispiel: ich **bin** gelaufen, ihr **seid** gelaufen

- Auch bei einer Gruppe von Verben, die eine **Zustandsänderung**
  (Übergang von einem Zustand in einen anderen) ausdrücken
  (aufwachen, sterben, verwelken) verwenden wir „**sein**".
  Beispiel: Ich bin aufgewacht. Ihr seid aufgewacht.

- Bei alle anderen Verben verwenden wir normalerweise **haben**.
  Beispiel: ich **habe** gesessen, ihr **habt** gesessen

PLUSQUAMPERFEKT (= VORVERGANGENHEIT)

Das **Plusquamperfekt** dient dazu, Handlungen auszudrücken, die zeitlich **vor einem bestimmten Zeitpunkt in der Vergangenheit** stattgefunden haben.

Beispiele:

a) Ich **war** schon 20 km **gelaufen**, bevor mir das Bein weh tat.

b) **Hattest** du für die Klassenarbeit **gelernt**, bevor du sie geschrieben hast?

c) **Warst** du schon früher in Deutschland **gewesen**?

hoffen	glauben	lieben	lachen
ich hatte gehofft	ich hatte geglaubt	ich hatte geliebt	ich hatte gelacht
du hattest gehofft	du hattest geglaubt	du hattest geliebt	du hattest gelacht
er/sie/es hatte gehofft	er/sie/es hatte geglaubt	er/sie/es hatte geliebt	er/sie/es hatte gelacht
wir hatten gehofft	wir hatten geglaubt	wir hatten geliebt	wir hatten gelacht
ihr hattet gehofft	ihr hattet geglaubt	ihr hattet geliebt	ihr hattet gelacht
sie/Sie hatten gehofft	sie/Sie hatten geglaubt	sie/Sie hatten geliebt	sie/Sie hatten gelacht

weinen	tanzen	knien	lesen
ich hatte geweint	ich hatte getanzt	ich hatte gekniet	ich hatte gelesen
du hattest geweint	du hattest getanzt	du hattest gekniet	du hattest gelesen
er/sie/es hatte geweint	er/sie/es hatte getanzt	er/sie/es hatte gekniet	er/sie/es hatte gelesen
wir hatten geweint	wir hatten getanzt	wir hatten gekniet	wir hatten gelesen
ihr hattet geweint	ihr hattet getanzt	ihr hattet gekniet	ihr hattet gelesen
sie/Sie hatten geweint	sie/Sie hatten getanzt	sie/Sie hatten gekniet	sie/Sie hatten gelesen

laden	halten	warten	lächeln
ich hatte geladen	ich hatte gehalten	ich hatte gewartet	ich hatte gelächelt
du hattest geladen	du hattest gehalten	du hattest gewartet	du hattest gelächelt
er/sie/es hatte geladen	er/sie/es hatte gehalten	er/sie/es hatte gewartet	er/sie/es hatte gelächelt
wir hatten geladen	wir hatten gehalten	wir hatten gewartet	wir hatten gelächelt
ihr hattet geladen	ihr hattet gehalten	ihr hattet gewartet	ihr hattet gelächelt
sie/Sie hatten geladen	sie/Sie hatten gehalten	sie/Sie hatten gewartet	sie/Sie hatten gelächelt

gehen	wandern	hüpfen	schlafen
ich war gegangen	ich war gewandert	ich war gehüpft	ich hatte geschlafen
du warst gegangen	du warst gewandert	du warst gehüpft	du hattest geschlafen
er/sie/es war gegangen	er/sie/es war gewandert	er/sie/es war gehüpft	er/sie/es hatte geschlafen
wir waren gegangen	wir waren gewandert	wir waren gehüpft	wir hatten geschlafen
ihr wart gegangen	ihr wart gewandert	ihr wart gehüpft	ihr hattet geschlafen
sie/Sie waren gegangen	sie/Sie waren gewandert	sie/Sie waren gehüpft	sie/Sie hatten geschlafen

husten	fahren	fliegen	spielen
ich hatte gehustet	ich hatte gefahren	ich war geflogen	ich hatte gespielt
du hattest gehustet	du hattest gefahren	du warst geflogen	du hattest gespielt
er/sie/es hatte gehustet	er/sie/es hatte gefahren	er/sie/es war geflogen	er/sie/es hatte gespielt
wir hatten gehustet	wir hatten gefahren	wir waren geflogen	wir hatten gespielt
ihr hattet gehustet	ihr hattet gefahren	ihr wart geflogen	ihr hattet gespielt
sie/Sie hatten gehustet	sie/Sie hatten gefahren	sie/Sie waren geflogen	sie/Sie hatten gespielt

schimpfen	schreien	schreiben	schneiden
ich hatte geschimpft	ich hatte geschrien	ich hatte geschrieben	ich hatte geschnitten
du hattest geschimpft	du hattest geschrien	du hattest geschrieben	du hattest geschnitten
er/sie/es hatte geschimpft	er/sie/es hatte geschrien	er/sie/es hatte geschrieben	er/sie/es hatte geschnitten
wir hatten geschimpft	wir hatten geschrien	wir hatten geschrieben	wir hatten geschnitten
ihr hattet geschimpft	ihr hattet geschrien	ihr hattet geschrieben	ihr hattet geschnitten
sie/Sie hatten geschimpft	sie/Sie hatten geschrien	sie/Sie hatten geschrieben	sie/Sie hatten geschnitten

Zur Plusquamperfektbildung brauchen wir die Präteritum-Formen von sein / haben und das Partizip II.

- Das Hilfsverb wird konjugiert und zeigt die <u>Person</u> an!
- Das <u>Partizip II</u> ist unveränderlich und schließt den Satz ab !!!

HILFSVERB	Partizip II
sein	ich war gegangen
	du warst gegangen
	er/sie/es war gegangen
	wir waren gegangen
	ihr wart gegangen
	sie/Sie waren gegangen
haben	ich hatte gelesen
	du hattest gelesen
	er/sie/es hatte gelesen
	wir hatten gelesen
	ihr hattet gelesen
	sie/Sie hatten gelesen

Wann wird »haben« und wann »sein« verwendet?

- Bei Verben der **Bewegung** verwenden normalerweise „**sein**".
  Beispiel:
  - du **bist** gelaufen,
  - ihr **wart** gelaufen
  - sie sind gerannt

- Auch bei einer Gruppe von Verben, die eine **Zustandsänderung** (Übergang von einem Zustand in einen anderen) ausdrücken (aufwachen, sterben, verwelken) verwenden wir „**sein**".
  Beispiel:
  - Ich war aufgewacht.
  - Ihr ward aufgewacht.
  - Er ist gestorben.
  - Die Blumen sind verwelkt.

- Bei alle anderen Verben verwenden wir normalerweise **haben**.
  Beispiel: ich **hatte** gesessen, ihr **hattet** gesessen

FUTUR I (ZUKUNFT)

Das **Futur I** drückt eine Absicht / Vermutung für die Gegenwart/Zukunft aus.

Das **Futur I** findet Verwendung bei:
- **Absicht für die Zukunft**
- **Vermutung für die Zukunft**
- **Vermutung für die Gegenwart**

Beispiele:

a) Das **wird** ein schöner Tag werden.

b) Ich **werde** jeden Mittwochabend zur Chorprobe gehen.

c) Nächsten Samstag **wird** die Bundesligasaison beginnen.

d) Ich **werde** wohl heute noch zum Friseur gehen.

Das Futur I wird mit dem Hilfsverb " werden " und dem Infinitiv gebildet.

werden + Infinitiv

Beispiele:

hoffen	glauben	lieben	lachen
ich werde hoffen	ich werde glauben	ich werde lieben	ich werde lachen
du wirst hoffen	du wirst glauben	du wirst lieben	du wirst lachen
er/sie/es wird hoffen	er/sie/es wird glauben	er/sie/es wird lieben	er/sie/es wird lachen
wir werden hoffen	wir werden glauben	wir werden lieben	wir werden lachen
ihr werdet hoffen	ihr werdet glauben	ihr werdet lieben	ihr werdet lachen
sie/Sie werden hoffen	sie/Sie werden glauben	sie/Sie werden lieben	sie/Sie werden lachen

laden	halten	warten	lächeln
ich werde laden	ich werde halten	ich werde warten	ich werde lächeln
du wirst laden	du wirst halten	du wirst warten	du wirst lächeln
er/sie/es wird laden	er/sie/es wird halten	er/sie/es wird warten	er/sie/es wird lächeln
wir werden laden	wir werden halten	wir werden warten	wir werden lächeln
ihr werdet laden	ihr werdet halten	ihr werdet warten	ihr werdet lächeln
sie/Sie werden laden	sie/Sie werden halten	sie/Sie werden warten	sie/Sie werden lächeln

gehen	wandern	hüpfen	schlafen
ich werde gehen	ich werde wandern	ich werde hüpfen	ich werde schlafen
du wirst gehen	du wirst wandern	du wirst hüpfen	du wirst schlafen
er/sie/es wird gehen	er/sie/es wird wandern	er/sie/es wird hüpfen	er/sie/es wird schlafen
wir werden gehen	wir werden wandern	wir werden hüpfen	wir werden schlafen
ihr werdet gehen	ihr werdet wandern	ihr werdet hüpfen	ihr werdet schlafen
sie/Sie werden gehen	sie/Sie werden wandern	sie/Sie werden hüpfen	sie/Sie werden schlafen

schimpfen	schreien	schreiben	schneiden
ich werde schimpfen	ich werde schreien	ich werde schreiben	ich werde schneiden
du wirst schimpfen	du wirst schreien	du wirst schreiben	du wirst schneiden
er/sie/es wird schimpfen	er/sie/es wird schreien	er/sie/es wird schreiben	er/sie/es wird schneiden
wir werden schimpfen	wir werden schreien	wir werden schreiben	wir werden schneiden
ihr werdet schimpfen	ihr werdet schreien	ihr werdet schreiben	ihr werdet schneiden
sie/Sie werden schimpfen	sie/Sie werden schreien	sie/Sie werden schreiben	sie/Sie werden schneiden

husten	fahren	fliegen	spielen
ich werde husten	ich werde fahren	ich werde fliegen	ich werde spielen
du wirst husten	du wirst fahren	du wirst fliegen	du wirst spielen
er/sie/es wird husten	er/sie/es wird fahren	er/sie/es wird fliegen	er/sie/es wird spielen
wir werden husten	wir werden fahren	wir werden fliegen	wir werden spielen
ihr werdet husten	ihr werdet fahren	ihr werdet fliegen	ihr werdet spielen
sie/Sie werden husten	sie/Sie werden fahren	sie/Sie werden fliegen	sie/Sie werden spielen

Beispielssätze für Futur I

1. Wir **werden** morgen Hühnersuppe kochen.
2. Dein Essen **werde** ich morgen nicht essen.
3. Nächste Woche **werden** wir in Urlaub fahren.
4. Du **wirst** morgen schon um 5 Uhr aufstehen müssen.
5. Es **wird** morgen schon nicht regnen.
6. Solange du vorsichtig Rad fährst, bist, **wird** dir nichts passieren.
7. Der Wetterbericht hat für morgen Sonnenschein vorhergesagt. Ihr **werdet** Glück haben und trocken nach Hause kommen.
8. **Wirst** du heute noch zum Supermarkt gehen?
9. Wir **werden** für heute Abend drei Pizzen bestellen.
10. Bayern München wird am Ende den Meisterschaftstitel holen.
11. Wenn ihr Informatik studiert, **werdet** ihr später einmal einen interessanten Beruf haben.
12. Morgen **werde** ich frei haben.
13. **Wirst** du am Dienstag mit zum Sport gehen?
14. In 7 Monaten **wird** Weihnachten sein.
15. Noch 143 Tage, dann **werden** wir zusammen in Urlaub fahren.
16. **Wirst** du eine Eintrittskarte für mich mit einkaufen?
17. Du **wirst** jetzt sofort ins Bett gehen!
18. Du hast deine Schwester geärgert und **wirst** dich sofort bei ihr entschuldigen!
19. Meine liebste Freundin hat mir einen Brief geschrieben. Ich **werde** ihr schnellstmöglich antworten.
20. Gestern habe ich versucht, meinen Freund anzurufen. Er ging aber nicht ans Telefon. Wahrscheinlich **wird** er noch in den Ferien sein.
21. Nach dem Fussballspiel **werdet** ihr bestimmt großen Hunger haben!
22. **Werdet** ihr uns am Bahnhof abholen?
23. Wann **werden** wir dich wiedersehen?
24. In welcher Stadt **wirst** du dein Studium beginnen?
25. Nächste Woche **werden** die Schüler der Klasse 5b einen Wandertag haben.
26. Ich **werde** wohl nicht so schnell mein Arbeitszimmer aufräumen!

FUTUR II (VOLLENDETE ZUKUNFT)

Das **Futur II** drückt aus, dass Etwas zu einem **bestimmten Zeitpunkt** in der Zukunft abgeschlossen sein wird.

Das **Futur II** wird verwendet bei:

- **einer Vermutung über eine Handlung in der Vergangenheit**
- **einer Vermutung, dass eine Handlung zu einem bestimmten Zeitpunkt in der Zukunft abgeschlossen sein wird.**

Das **Futur II** bilden wir mit dem **Präsens des Hilfsverbs „sein"**, dem **Partizip II (Partizip Perfekt)** und dem **Infinitiv** von „**haben**" oder „**sein**".

Präsens Hilfsverb werden + Partizip II + Infinitiv haben/sein

weinen	tanzen	knien	lesen
ich werde geweint haben	ich werde getanzt haben	ich werde gekniet haben	ich werde gelesen haben
du wirst geweint haben	du wirst getanzt haben	du wirst gekniet haben	du wirst gelesen haben
er/sie/es wird geweint haben	er/sie/es wird getanzt haben	er/sie/es wird gekniet haben	er/sie/es wird gelesen haben
wir werden geweint haben	wir werden getanzt haben	wir werden gekniet haben	wir werden gelesen haben
ihr werdet geweint haben	ihr werdet getanzt haben	ihr werdet gekniet haben	ihr werdet gelesen haben
sie/Sie werden geweint haben	sie/Sie werden getanzt haben	sie/Sie werden gekniet haben	sie/Sie werden gelesen haben

laden	halten	warten	lächeln
ich werde geladen haben	ich werde gehalten haben	ich werde gewartet haben	ich werde gelächelt haben
du wirst geladen haben	du wirst gehalten haben	du wirst gewartet haben	du wirst gelächelt haben
er/sie/es wird geladen haben	er/sie/es wird gehalten haben	er/sie/es wird gewartet haben	er/sie/es wird gelächelt haben
wir werden geladen haben	wir werden gehalten haben	wir werden gewartet haben	wir werden gelächelt haben
ihr werdet geladen haben	ihr werdet gehalten haben	ihr werdet gewartet haben	ihr werdet gelächelt haben
sie/Sie werden geladen haben	sie/Sie werden gehalten haben	sie/Sie werden gewartet haben	sie/Sie werden gelächelt haben

gehen	wandern	hüpfen	schlafen
ich werde gegangen sein	ich werde gewandert sein	ich werde gehüpft sein	ich werde geschlafen haben
du wirst gegangen sein	du wirst gewandert sein	du wirst gehüpft sein	du wirst geschlafen haben
er/sie/es wird gegangen sein	er/sie/es wird gewandert sein	er/sie/es wird gehüpft sein	er/sie/es wird geschlafen haben
wir werden gegangen sein	wir werden gewandert sein	wir werden gehüpft sein	wir werden geschlafen haben
ihr werdet gegangen sein	ihr werdet gewandert sein	ihr werdet gehüpft sein	ihr werdet geschlafen haben
sie/Sie werden gegangen sein	sie/Sie werden gewandert sein	sie/Sie werden gehüpft sein	sie/Sie werden geschlafen haben

schimpfen	schreien	schreiben	schneiden
ich werde geschimpft haben	ich werde geschrien haben	ich werde geschrieben haben	ich werde geschnitten haben
du wirst geschimpft haben	du wirst geschrien haben	du wirst geschrieben haben	du wirst geschnitten haben
er/sie/es wird geschimpft haben	er/sie/es wird geschrien haben	er/sie/es wird geschrieben haben	er/sie/es wird geschnitten haben
wir werden geschimpft haben	wir werden geschrien haben	wir werden geschrieben haben	wir werden geschnitten haben
ihr werdet geschimpft haben	ihr werdet geschrien haben	ihr werdet geschrieben haben	ihr werdet geschnitten haben
sie/Sie werden geschimpft haben	sie/Sie werden geschrien haben	sie/Sie werden geschrieben haben	sie/Sie werden geschnitten haben

husten	fahren	fliegen	spielen
ich werde gehustet haben	ich werde gefahren haben	ich werde geflogen sein	ich werde gespielt haben
du wirst gehustet haben	du wirst gefahren haben	du wirst geflogen sein	du wirst gespielt haben
er/sie/es wird gehustet haben	er/sie/es wird gefahren haben	er/sie/es wird geflogen sein	er/sie/es wird gespielt haben
wir werden gehustet haben	wir werden gefahren haben	wir werden geflogen sein	wir werden gespielt haben
ihr werdet gehustet haben	ihr werdet gefahren haben	ihr werdet geflogen sein	ihr werdet gespielt haben
sie/Sie werden gehustet haben	sie/Sie werden gefahren haben	sie/Sie werden geflogen sein	sie/Sie werden gespielt haben

Beispielssätze für Futur II

1. Sie **werden** wohl **verschlafen haben**.
2. Ich **werde** wohl über die Kante **gestolpert sein**.
3. Ich **werde** nächste Woche bestimmt eine gute Klassenarbeit **geschrieben haben**.
4. Wir **werden** nächstes Jahr um diese Zeit den Hamburg Marathon **gelaufen sein**.
5. Bis heute Nachmittag **werdet** ihr bestimmt bis Sylt **gereist sein**.
6. Sie **werden** nicht nach der Abfahrt des Zuges **gefragt haben**.
7. Bis nächste Woche **werden** wir alle Postkarten aus unserem Urlaub **geschrieben haben**.
8. Noch heute Abend **werde** ich dir meinen frisch gebackenen Kuchen **gebracht haben**.
9. **Werden** Sie den Nachhauseweg mit dem Taxi **gefahren sein**?
10. Bis nächsten Mittwoch **werden** wir das Lied **gelernt haben**.
11. In spätestens zwei Stunden **werden** wir uns von der Geburtstagsfeier wieder auf den Heimweg **gemacht haben**.
12. Unser Baby **wird** bald **eingeschlafen sein**.
13. Unsere Oma **wird**, bis wir nach Hause kommen, ein gutes Essen für uns **gekocht haben**.
14. Bis zu den Sommerferien **werden** wir unseren Deutschkurs **beendet haben**.
15. Mein Freund **wird** bis zum Monatsende sein Geld **bekommen haben**.
16. Am Ende dieses Jahres **werde** ich mein neues Auto **abbezahlt haben**.
17. Mein Nachbar **wird** an einem Herzinfarkt **gestorben sein**.

DAS VOLLVERB

In der deutschen Sprache verwenden wir verschiedene Verbarten, wie z.B.

- **Vollverben**
- **Hilfsverben**
- **Modalverben** usw.

Die meisten Verben gehören zu den **Vollverben**.

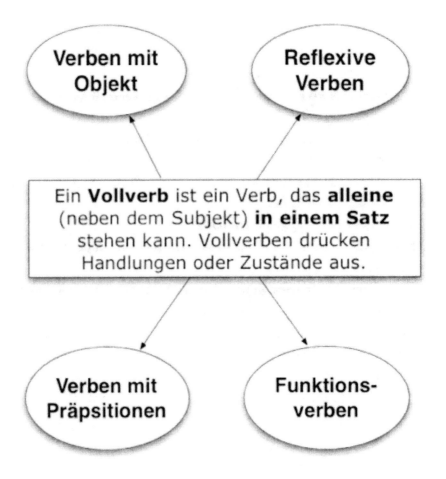

© Reinhard Laun   72

1. Verben mit Objekt

- Es gibt Verben mit nachfolgendem **Akkusativ-Objekt**. Das sind dann **transitive Verbe**n.
- Und dann gibt es noch **intransitive Verben**, die ebenfalls eine Ergänzung brauchen. Bei diesen intransitiven Verben stehen dann die **Objekte im Dativ oder Genitiv**.
- Viele Verben können aber auch transitiv und intransitiv gebraucht werden!

Transitive Verben können das Passiv bilden, intransitive Verben jedoch haben keine Passivformen!

TRANSITIVE VERBEN (MIT AKKUSATIV-OBJEKT)	INTRANSITIVE VERBEN (MIT DATIV / GENITIV-OBJEKT)
Ich liebe dich.	Ich danke dir.
Wir lesen viele Bücher.	Er half dem Kind.
Du isst eine Birne.	Wir bedürfen eurer Hilfe.
Sie trinkt Milch.	Du erholst dich von der Arbeit.
Ich verschenke ein Bild.	Ich bin gestern einem alten Freund begegnet.
Er hat Geld verschenkt.	Du hast mir den Weg erklärt.
Sie verteidigte ihre Schwester.	Ich bedarf deines Rates.
Wir machen Urlaub an der Nordsee.	Du folgst nicht meinem Rat.
Das Kind beobachtet eine Biene.	Der Hund bellt.
Du wirst morgen den Rasen mähen.	Dein Baby weint oft.
Wir sehen ein Feuerwehrauto.	Ich gebe dir das Buch.
Wir backen einen Kuchen.	Wir schlafen.
Mein Freund fing gestern einen Fisch.	Ich war gegangen.
Ich bekomme Post.	Wir sind mit dem Bus gefahren.
Letzte Woche erhielt ich den Brief.	Wir gratulieren dir zum Geburtstag.

2. Reflexive Verben

Verben, die in Verbindung mit einem Reflexivpronomen benutzt werden, sind z.B.:
sich schämen, sich kämmen, sich freuen, sich waschen, sich ärgern usw. Siehe
auch das Extrakapitel „REFLEXIVE VERBEN".

3. Verben mit nachfolgender Präposition

In der deutschen Sprache sind **bestimmte Verben fest mit einer Präposition**
verbunden. Die Präposition verlangt einen bestimmten Fall.

- Ich warte **auf** dich. („warten auf + Akk.")
- Ich freue mich **über** die Geschenke. („sich freuen über + Akk.)
- Wir denken **an** dich. („denken an   + Akk.")
- Ich interessiere mich **für** dich. („sich interessieren für + Akk.")
- Du bekommst Angst vor dem Gewitter („Angst bekommen vor + Dativ")
- Du hörst pünktlich mit deiner Arbeit **auf**. („aufhören mit + Dativ")
- Er antwortet **auf** deinen Brief. („ antworten auf + Akk.")
- Sie stimmt gegen seinen Vorschlag. („stimmen gegen + Akk.")

Weitere Verben mit nachfolgendem **Akkusativ** sind z.B.:
tun **für**, sich unterhalten **über**, unterrichten **über**, sich verlassen **auf**, sich
verlieben **in**, sich ärgern **über**, bitten **um**, danken **für**, sich beschweren **über**, sich
beziehen **auf**, kämpfen **für**, kämpfen **gegen**, informieren **über**, sich halten **an**,
ersetzen **durch**, sich erinnern **an**, sich beziehen **auf**, berichten **über**, hoffen **auf**,
sich bemühen **um**, antworten **auf**, hören **auf** usw.

Weitere Verben mit nachfolgendem **Dativ** sind z.B.:
anfangen **mit**, zwingen **zu**, vergleichen **mit**, sich unterhalten **mit**, überreden **zu**,
sprechen **von**, sich streiten **mit**, hindern **an**, hören **von**, sich irren **in**, kommen **zu**,
leiden **an**, anfangen **mit**, aufhören **mit**, bestehen **aus**, sich beschäftigen **mit**, sich
erholen **von**, fragen **nach**, sich erkundigen **nach**,
gratulieren **zu**, erzählen **von**, verzeihen **zu**, folgen **aus**, sich fürchten **vor**, sich
melden **bei**, leiden **unter**, reden **von**, rechnen **mit**, warnen **vor**, usw.

4. Funktionsverben

Verben, die zusammen mit einem **Substantiv (als Akkusativ- oder Präpositionalobjekt)** das Prädikat bilden, heißen **Funktionsverben**.

Hier sind einige Beispiele für solche Funktionsverben:

SUBSTANTIV	FUNKTIONSVERB
Abmachung	eine Abmachung treffen
Absage	eine Absage erteilen
Abschied	Abschied nehmen von
Abstand	Abstand nehmen von
Acht	sich in Acht nehmen vor
Anerkennung	Anerkennung finden
Anfang	einen/den Anfang machen
Anklage	unter Anklage stehen
Anordnung	eine Anordnung treffen
Abstand	Abstand nehmen von
Abmachung	eine Abmachung treffen
Absage	eine Absage erteilen
Abschied	Abschied nehmen von
Abstand	Abstand nehmen von
Acht	sich in Acht nehmen vor
Anschauung	zu der Anschauung gelangen
Ansicht	zu der Ansicht gelangen
Anspruch	Anspruch erheben auf
Anstoß	Anstoß erregen
Antrag	einen Antrag stellen
Antwort	eine Antwort erteilen
Anwendung	Anwendung finden
Antrag	einen Antrag stellen
Armut	in Armut (Not) geraten

Auge	im Auge haben
Ausdruck	zum Ausdruck bringen
Bau	im Bau befinden
Beachtung	Beachtung finden
Bedrängnis	in Bedrängnis geraten
Begriff	im Begriff sein
Beifall	Beifall finden
Beitrag	einen Beitrag leisten zu
Beobachtung	unter Beobachtung stehen
Beobachtung	Beobachtungen machen
Berechnungen	Berechnungen anstellen
Berücksichtigung	Berücksichtigung finden
Beschwerde	Beschwerde einlegen
Besitz	in Besitz nehmen
Betracht	in Betracht ziehen
Betrieb	in Betrieb nehmen
Bewegung	in Bewegung setzen
Beweis	unter Beweis stellen
Bezug	Bezug nehmen auf
Debatte	zur Debatte stehen
Diskussion	zur Diskussion stellen
Druck	Druck ausüben auf
Echo	ein breites Echo finden
Eid	einen Eid leisten
Einblick	Einblick haben / nehmen in
Einsatz	im Einsatz sein
Einsicht	zur Einsicht gelangen

76

Einwilligung	Einwilligung geben zu
Empfang	in Empfang nehmen
Ende	zu Ende bringen
Entschluss	einen/den Entschluss fassen
Erfahrung	in Erfahrung bringen
Erfüllung	in Erfüllung gehen
Erlaubnis	jm die Erlaubnis geben
Erstaunen	jn in Erstaunen versetzen
Erwägung	in Erwägung ziehen
Fahrt	in Fahrt kommen
Fähigkeit	die Fähigkeit besitzen
Flucht	die Flucht ergreifen
Folge	jm Folge leisten
Forderung	eine Forderung erheben / stellen
Frage	jm eine Frage stellen
Frage	in Frage stellen
Frage	außer Frage stehen
Frage	in Frage kommen
Gang	in Gang bringen / setzen
Gebrauch	in Gebrauch sein
Gefahr	in Gefahr befinden
Gefahr	in Gefahr schweben / sein
Gegensatz	im Gegensatz stehen zu jm /etwas
Gehorsam	jm Gehorsam leisten
Gehör	Gehör finden bei jm
Gesellschaft	jm Gesellschaft leisten
Gespräch	ein Gespräch führen
Glauben	jm Glauben schenken
Gnade	Gnade finden vor jm
Haft	jn in Haft nehmen
Herrschaft	Herrschaft ausüben über

Hilfe	jm Hilfe leisten
Hoffnung	sich Hoffnungen machen auf
Hut	den/seinen Hut nehmen
Initiative	die Initiative ergreifen
Irrtum	sich im Irrtum befinden
Kauf	etws in Kauf nehmen
Kenntnis	etwas zur Kenntnis nehmen
Klares	sich im Klaren sein über etwas
Kompromiss	einen Kompromiss schließen (mit jm)
Konsequenz	die Konsequenz ziehen
Kraft	in/außer Kraft setzen
Kritik	Kritik üben an
Kuss	jm einen Kuss geben
Lage	sich in jemandes Lage versetzen
Last	jemandem zur Last fallen
Laufende	auf dem Laufenden sein
Leben	etwas ins Leben rufen
Mode	in Mode sein
Ordnung	etwas in Ordnung halten
Protest	Protest erheben gegen
Protokoll	Protokoll führen
Rat	jemandem den/einen Rat erteilen
Rechenschaft	jemanden zur Rechenschaft ziehen
Rechnung	jemandem etwas in Rechnung stellen
Recht	im Recht sein
Rede	eine Rede halten
Rede	jemanden zur Rede stellen
Respekt	Respekt genießen
Rücksicht	Rücksicht nehmen auf etwas
Rücksicht	Rücksicht nehmen auf jemanden
Schutz	jemanden in Schutz nehmen

Sicht	in Sicht sein
Sorge	sich Sorgen machen um jemanden
Sorge	sich Sorgen machen um etwas
Sprache	etwas zur Sprache bringen
Stelle	zur Stelle sein
Stellung	Stellung nehmen zu etwas
Sterben	im Sterben liegen
Strafe	unter Strafe stehen
Streik	sich im Streik befinden
Streit	sich im Streit befinden
Suche	sich auf die Suche machen nach jemandem
Tat	zur Tat schreiten
Trost	Trost finden bei jemandem
Übereinstimmung	sich in Übereinstimmung (mit jemandem) befinden
Überlegung	Überlegungen anstellen
Überzeugung	zur Überzeugung gelangen / kommen
Unterricht	jemandem Unterricht geben
Unterschied	einen Unterschied machen (zwischen etwas)
Unterstützung	Unterstützung finden
Verabredung	eine Verabredung treffen
Verantwortung	jemanden zur Verantwortung ziehen
Verbindung	in Verbindung treten mit jemandem
Verbindung	sich in Verbindung setzen mit jemandem
Verbindung	in Verbindung stehen mit jemandem
Verbrechen	ein Verbrechen begehen
Verdacht	unter Verdacht stehen
Verdacht	Verdacht schöpfen
Verdacht	in Verdacht geraten
Verfügung	jemandem zur Verfügung stehen
Verfügung	etwas zur Verfügung stellen
Verhandlung	in Verhandlungen stehen mit jemandem

Verlegenheit	in Verlegenheit geraten / kommen
Verlegenheit	jemanden in Verlegenheit bringen
Verruf	in Verruf geraten
Versprechen	jemandem das Versprechen geben
Versprechen	ein Versprechen halten
Verständnis	Verständnis finden
Versteigerung	zur Versteigerung kommen
Versteigerung	etwas zur Versteigerung bringen
Vertrauen	jemandem (sein) Vertrauen schenken
Vertrauen	jemanden ins Vertrauen ziehen
Verwendung	Verwendung finden
Verzicht	Verzicht leisten auf etwas
Verzweiflung	jemanden zur Verzweiflung bringen
Vorwurf	jemandem einen Vorwurf machen

MODALVERBEN

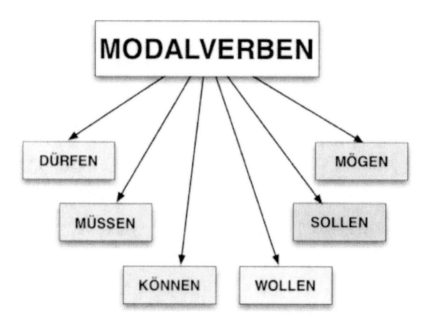

- **Modalverben** bilden zusammen mit der **Grundform (Infinitiv)** eines Verbs das Prädikat eines Satzes.
  *Zum Beispiel: Tim **will** mit Tina ins Kino **gehen**.*

- **Modalverben** haben **keinen Imperativ**!

- **Modalverben** können nicht ins Passiv gesetzt werden, sie können aber alle **einen Passivinfinitiv** eines Vollverbs regieren.
  Zum Beispiel: Dem kranken Kind muss geholfen werden.

- In den zusammen gesetzten Zeiten wird das **Partizip Perfekt** durch den **Infinitiv Präsens** ersetzt, wenn es unmittelbar nach einem Infinitiv steht (z.B. im Perfekt oder Plusquamperfekt).

*Zum Beispiel: Der Fussballspieler hat **spielen wollen**. (RICHTIG)*
Der Fussballspieler hat spielen gewollt. (FALSCH)

KONJUGATIONSTABELLE VON KÖNNEN

ich	kann	konnte	habe gekonnt	werde können
du	kannst	konntest	hast gekonnt	werdest können
er/sie/es	kann	konnte	hat gekonnt	werde können
wir	können	konnten	haben gekonnt	werden können
ihr	könnt	konntet	habt gekonnt	werdet können
sie/Sie	können	konnten	haben gekonnt	werden können

KONJUGATIONSTABELLE VON WOLLEN

ich	will	wollte	habe gewollt	werde wollen
du	willst	wolltest	hast gewollt	werdest wollen
er/sie/es	will	wollte	hat gewollt	werde wollen
wir	wollen	wollten	haben gewollt	werden wollen
ihr	wollt	wolltet	habt gewollt	werdet wollen
sie/Sie	wollen	wollten	haben gewollt	werden wollen

KONJUGATIONSTABELLE VON SOLLEN

ich	soll	sollte	habe gesollt	werde sollen
du	sollst	solltest	hast gesollt	werdest sollen
er/sie/es	soll	sollte	hat gesollt	werde sollen
wir	sollen	sollten	haben gesollt	werden sollen
ihr	sollt	solltet	habt gesollt	werdet sollen
sie/Sie	sollen	sollten	haben gesollt	werden sollen

KONJUGATIONSTABELLE VON MÖGEN

ich	mag	mochte	habe gemocht	werde mögen
du	magst	mochtest	hast gemocht	werdest mögen
er/sie/es	mag	mochte	hat gemocht	werde mögen
wir	mögen	mochten	haben gemocht	werden mögen
ihr	mögt	mochtet	habt gemocht	werdet mögen
sie/Sie	mögen	mochten	haben gemocht	werden mögen

KONJUGATIONSTABELLE VON MÜSSEN

ich	muss	musste	habe gemusst	werde müssen
du	musst	musstest	hast gemusst	wirst müssen
er/sie/es	muss	musste	hast gemusst	wird müssen
wir	müssen	mussten	haben gemusst	werden müssen
ihr	müsst	musstet	habt gemusst	werdet müssen
sie/Sie	müssen	mussten	haben gemusst	werden müssen

KONJUGATIONSTABELLE VON DÜRFEN

ich	darf	durfte	habe gedurft	werde dürfen
du	darfst	durftest	hast gedurft	wirst dürfen
er/sie/es	darf	durfte	hat gedurft	wird dürfen
wir	dürfen	durften	haben gedurft	werden dürfen
ihr	dürft	durftet	habt gedurft	werdet dürfen
sie/Sie	dürfen	durften	haben gedurft	werden dürfen

Beispielsätze mit Modalverben:

1) Die Kinder **dürfen** zum Nachtisch ein Eis **essen**.

2) Die Schüler **sollen** ihre Hausaufgaben **machen**.

3) Ahmed **will** Deutsch **lernen**.

4) Tina **soll** heute **kochen**.

5) Mohammed ist krank und **muss** daher im Bett bleiben.

6) Nach 22 Uhr **dürfen** wir keine Musik mehr hören.

7) Morgen **darf** ich mit meine Mutter im Krankenhaus besuchen.

8) **Willst** du mit zum HSV kommen?

9) **Kannst** du mir dein Smartphone leihen?

10) Vor einer Schule **muss** jeder Autofahrer langsam fahren.

11) Jeder Schüler **sollte** ein Frühstücksbrot dabei haben.

12) In der Innenstadt **konnte** ich gestern keinen Parkplatz finden.

13) Als Kind **wollte** ich immer Lokomotivführer werden.

14) Viele Kinder **mögen** keinen Spinat essen.

15) Ich **möchte** Deutsch lernen!

16) In Harburg **soll** es ein gutes syrisches Restaurant geben.

17) **Darfst** du mit ins Kino kommen?

18) Mein Hund **soll** das Haus bewachen.

19) Meine Katze **darf** keine Vögel jagen.

20) **Musst** du immer so laut reden?

21) Wir **dürfen** nicht zu spät kommen.

22) Ich habe dir beim Autowaschen helfen **wollen**!

23) Deinen Autoschlüssel **muss** ich beim Einkaufen verloren haben.

REFLEXIVE & REZIPROKE VERBEN

- **Reflexive** und **reziproke Verben** stehen mit dem Pronomen *sich*.
- Bei den reflexiven Verben (rückbezüglichen Verben) bezieht sich das Pronomen zurück auf das Subjekt des Satzes. Sie stehen immer mit dem Reflexivpronomen *sich*
- Bei den **reziproken Verben** drückt das Pronomen nicht ein rückbezügliches, sondern ein **wechselseitiges Verhältnis** aus:

Echte reflexive Verben sind Verben, die immer mit einem Reflexivpronomen stehen müssen:

Beispiele für reflexive Verben mit Akkusativ:

- **sich auskennen**

    Ich kenne **mich** in meiner eigenen Stadt nicht mehr aus.

    Du kennst **dich** in der deutschen Literatur gut aus.

- **sich verlieben**

    Mein Freund verliebte **sich** in ein hübsches Mädchen.

    Hast du **dich** in Maria verliebt?

- **sich beeilen**

    Beeile **dich** bitte, sonst kommen wir zu spät!

    Obwohl sie **sich** beeilten, kamen sie zu spät.

- **sich ereignen**

    Es hat **sich** ein Wunder ereignet.

    Gestern ereignete **sich** ein schwerer Unfall vor meinem Haus.

- **sich bewerben,**

> Die Stelle, auf die Sie **sich** bewerben, ist leider schon besetzt.
>
> Mohamed, der **sich** um eine Arbeitsstelle bewerben will, braucht dazu eine Arbeitsbewilligung.

- **sich betrinken**

> Die Männer betranken **sich** bei der Party sinnlos.
>
> Wir betrinken **uns** niemals!

- **sich erholen,**

> Abends erhole ich **mich** im Fitness-Studio von der Arbeit.
>
> Wann erholst du **dich** von deinem anstrengenden Job?

Beispiele für reflexive Verben <u>mit Dativ:</u>

- **sich etwas anmaßen**

> Ich würde **mir** niemals anmaßen, ihm zu widersprechen.
>
> Der Philosoph Pythagoras maßte **sich** nicht an ein Weiser zu sein.

- **sich etwas aneignen**

> Ihr habt **euch** widerrechtlich mein Geld angeeignet.
>
> Durch den Besuch des Deutschkurses haben sie **sich** schnell die deutsche Sprache angeeignet.

- **sich etwas einbilden**

> Was bildest du **dir** eigentlich ein?
>
> Niemand soll **sich** ernsthaft auf seine Herkunft etwas einbilden.

ECHTE & UNECHTE REFLEXIVE VERBEN

- Reflexive Verben brauchen immer ein **Reflexivpronomen**, das im **Akkusativ** oder im **Dativ** stehen kann.

Ich putze **mir** die Zähne.

SUBJEKT   REFLEXIV
PRONOMEN

Du kämmst **dir** die Haare.

SUBJEKT   REFLEXIV
PRONOMEN

Sie fürchten **sich** vor der Prüfung.

SUBJEKT   REFLEXIV
PRONOMEN

- Die **Reflexivpronomen** heißen:

	Dativ	Akkusativ
ich	mir	mich
du	dir	dich
er/sie /es	sich	sich
wir	uns	uns
ihr	euch	euch
sie / Sie	sich	sich

- Reflexiv bedeutet rückbezüglich. Das **Reflexivpronomen** bezieht sich auf das Subjekt im Satz zurück und ist daher abhängig vom Subjekt. Es muss immer die gleiche Person angeben, die das Subjekt vorgibt.

- Für die 1. und 2. Person Singular und Plural werden die entsprechenden Formen des Personalpronomens im Akkusativ bzw. im Dativ übernommen. Nur die 3. Person bildet eine eigene Form: „**sich**".

Subjekt	reflexives Verb	Reflexivpronomen
Ich	freue	mich.
Du	freust	dich.
Er	freut	sich.
Wir	freuen	uns.
Ihr	freut	euch.
sie	freuen	sich

ECHTE REFLEXIVE VERBEN

- Echte reflexive Verben haben immer ein **Reflexivpronomen**.
- Bei **echten reflexiven Verben** kann man **nicht** nach dem Reflexivpronomen fragen.

ECHTE REFLEXIVE VERBEN
MIT REFLEXIVPRONOMEN IM AKKUSATIV

- sich aufregen über
- sich auskennen
- sich ausruhen
- sich bedanken für
- sich beschweren über
- sich bewerben um
- sich entschuldigen für
- sich erkundigen nach
- sich freuen auf / über
- sich interessieren für
- sich konzentrieren auf
- sich kümmern um
- sich schämen für
- sich wundern über

Beispiele für echte reflexive Verben:

1. **Die Schüler** konzentriere **sich** auf die Klassenarbeit.
2. **Der Hund** interessiert **sich** für den Knochen.
3. **Die Mutter** kümmert **sich** um ihren Sohn.
4. **Wir** bedanken **uns** für die Einladung.
5. Hast **du dich** bei deinem Chef beschwert?
6. Habt **ihr euch** nach dem Weg erkundigt?

UNECHTE REFLEXIVE VERBEN

UNECHTE REFLEXIVE VERBEN
MIT REFLEXIVPRONOMEN IM AKKUSATIV

- sich abtrocknen
- sich anstrengen
- sich anziehen
- sich ändern
- sich ärgern über
- sich aufregen über
- sich bewegen
- sich duschen
- sich entschuldigen
- sich erinnern an
- sich fragen; ob...
- sich fürchten vor
- sich gewöhnen an
- sich interessieren für
- sich konzentrieren auf
- sich nennen
- sich schminken
- sich setzen auf
- sich treffen
- sich umdrehen
- sich umziehen
- sich verletzen
- sich verteidigen
- sich vorbereiten
- sich waschen
- sich wiegen
- sich wundern über

UNECHTE REFLEXIVE VERBEN
MIT REFLEXIVPRONOMEN IM DATIV

- sich etwas denken
- sich Sorgen machen
- sich etwas merken
- sich etwas wünschen

- **Unechte** reflexive Verben erkennen wir daran, dass wir das Verb mit der gleichen Bedeutung auch **ohne** Reflexivpronomen verwenden können.
- **Ohne** Reflexivpronomen bezieht sich das Verb auf ein **Objekt** (nicht auf das Subjekt).

Beispiele für unechte reflexive Verben:

1. Bitte **duscht euch** ab.
2. Deine Schwester **wäscht sich** jeden Morgen.
3. Deine Schwester **wäscht dir** deine Wäsche.
4. Ich **rasiere mich** jeden Morgen.
5. Er **rasiert** seinem Bruder den Bart.
6. Nach der Arbeit **ziehe** ich **mich** um.
7. Meine Mutter **zieht** meinem kleinen Bruder die Hose an.
8. Die Schüler **bereiten sich** auf die Klassenarbeit vor.
9. Meine Schwester **bereitet** das Abendessen vor.
10. Heute Abend **treffen sich** alle Freunde von mir.
11. **Hast** du gestern deinen Freund **getroffen**?
12. Meine Freundin **kämmt sich** dreimal am Tag.
13. Die Frau **kämmt** ihrem Hund das Fell.
14. Seine Freundin **schminkt sich** zweimal am Tag.
15. Wir **setzen uns** an den Tisch.
16. Du **wiegst ihn** jeden Abend.
17. Ich **rasiere dir** deinen Bart. Ich **rasiere** ihn **dir**.

REZIPROKE VERBEN

Bei den **reflexiven** Verben (rückbezüglichen Verben) bezieht sich das Pronomen **zurück** auf das **Subjekt des Satzes**. Sie stehen immer mit dem Reflexivpronomen „**sich**".

Im Gegensatz dazu drückt das Pronomen bei den **reziproken** Verben nicht ein rückbezügliches, sondern ein **wechselseitiges Verhältnis** aus.

- Verben, bei denen **zwischen zwei Subjekten** ein echselseitiges Verhältnis ausgedrückt wird, heißen **reziproke Verben**.

*Zum Beispie*l: Ahmed liebt Sarah. Sarah liebt Ahmed.
Ahmed und Sarah lieben sich / lieben einander.

- Reziproke Verben treten nur mit **Subjekten im Plural** auf.

- Bei reziproken Verben verwendet man die Plural-Formen des **Reflexivpronomens „uns", „euch", „sich"** sowie **„einander"**.

A. Bei **Verben mit Präpositionen** wird nur „einander" verwendet, nicht sich.

- Julia spricht mit Ahmed. Ahmed spricht mit Karin. Sie sprechen **miteinander**.
- Karin hörte lange nichts von Alina. Alina hörte nichts von Karin.   Wann hören sie wieder **voneinander**?
- Der Bruder verträgt sich wieder mit seiner Schwester. Die Schwester verträgt sich wieder mit ihrem Bruder. Die Geschwister vertragen sich wieder **miteinander**.
- Ich bin verfeindet mit dir. Du bist verfeindet mit mir. Wir sind **miteinander** verfeindet.
- Ich freue mich auf dich. Du freust dich auf mich. Wir freuen uns **aufeinander**.
- Ich treffe auf dich. Du triffst auf mich. Wir treffen **aufeinander**.

B. Bei Verben, die **ausschließlich reziprok** verwendet werden, wird nur „**sich**" verwendet, **nicht** einander.

- **sich erfreuen**

    Ich erfreue **mich** bester Gesundheit.

- **sich bedienen**

    Darf ich **mich** ihres Telefons bedienen?

- **sich lieben**

    Lerne **dich** selbst zu lieben, so wie du bist.

- **sich verfeinden**

    Verfeinde **dich** nicht mit deinen Nachbarn!

- **sich erbarmen**

    Herr, erbarme **dich** unser!

- **sich vertragen**

    Vertrage **dich** wieder mit deiner Freundin!

- **sich anfreunden**

    Die neuen Nachbarn werden **sich** bald anfreunden.

C. Bei Verben, die sowohl **reziprok** als auch **nicht-reziprok** vorkommen, kann man „**sich**" oder „**einander**" verwenden.

- Sie helfen **sich**. Sie helfen **einander**.

- Sie ärgern **sich**. Sie ärgern **einander**.

- Ihr helft **euch**. Ihr helft **einander**.

Anmerkung: **Reziproke Verben können weder ein Zustandspassiv noch ein Vorgangspassiv bilden!**

DAS HILFSVERB „SEIN"

Die Verben „**sein**" und „**haben**" sind in der deutschen Sprache zur Bildung von zusammengesetzten Zeiten wichtig.

Das **Verb** „**sein**" wird als **Hilfsverb** im **Perfekt & Plusquamperfekt** verwendet

- bei intransitiven Verben (= Verben ohne Akkusativobjekt), die eine **Ortsveränderung** ausdrücken, wie z.B.
    - *gehen, laufen, wandern, rennen, reisen, fallen, stürzen, fliegen, fahren, kommen, schwimmen, auswandern, klettern, landen, zurückkehren, folgen, begegnen...*

- bei intransitiven Verben (= Verben ohne Akkusativobjekt), die eine **Zustandsänderung** ausdrücken, wie z.B.
    - *aufwachen, einschlafen, auftauen, gefrieren, sterben, zerfallen, explodieren, wachsen, sitzen, stehen, ...*
- bei weiteren Verben, wie z.B.
    - *sein, werden, bleiben, gelingen, misslingen, geschehen, ...*

Das Verb „sein" wird im Deutschen nicht nur als Hilfsverb, sondern auch als Vollverb benutzt.

Das Verb „**sein**" ist ein **Vollverb**, wenn es verwendet wird:

- in Verbindung mit Adjektiven
- zur Angabe von Alter,
- zur Angabe von Datum und Uhrzeit
- zur Identifizierung von Dingen
- zur Angabe von Berufen
- zur Angabe von Nationalitäten
- zur Angabe von akademischen Graden usw.

KONJUGATION VON „SEIN"

INDIKATIV

PRÄSENS	PRÄTERITUM	PERFEKT
ich bin	ich war	ich bin gewesen
du bist	du warst	du bist gewesen
er/sie/es ist	er/sie/es war	er/sie/es ist gewesen
wir sind	wir waren	wir sind gewesen
ihr seid	ihr wart	ihr seid gewesen
sie/Sie sind	sie/Sie waren	sie/Sie sind gewesen

PLUSQUAM-PERFEKT	FUTUR I	FUTUR II
ich war gewesen	ich werde sein	ich werde gewesen sein
du warst gewesen	du wirst sein	du wirst gewesen sein
er/sie/es war gewesen	er/sie/es wird sein	er/sie/es wird gewesen sein
wir waren gewesen	wir werden sein	wir werden gewesen sein
ihr wart gewesen	ihr werdet sein	ihr werdet gewesen sein
sie/Sie waren gewesen	sie/Sie werden sein	sie/Sie werden gewesen sein

PARTIZIP PRÄSENS: seiend

PARTIZIP PERFEKT: gewesen

IMPERATIV: sei

KONJUNKTIV I

PRÄSENS	PRÄTERITUM	FUTUR I	FUTUR II
ich sei	ich sei gewesen	ich werde sein	ich werde gewesen sein
du seiest	du seiest gewesen	du werdest sein	du werdest gewesen sein
du seist	*du seist gewesen*	er/sie/es werde sein	er/sie/es werde gewesen sein
er/sie/es sei	er/sie/es sei gewesen	wir werden sein	wir werden gewesen sein
wir seien	wir seien gewesen	ihr werdet sein	ihr werdet gewesen sein
ihr seiet	ihr seiet gewesen	sie/Sie werden sein	sie/Sie werden gewesen sein

KONJUNKTIV II

PRÄSENS	PRÄTERITUM	FUTUR I	FUTUR II
ich wäre	ich wäre gewesen	ich würde sein	ich würde gewesen sein
du wärest	du wärest gewesen	du würdest sein	du würdest gewesen sein
du wärst	*du wärst gewesen*	er/sie/es würde sein	er/sie/es würde gewesen sein
er/sie/es wäre	er/sie/es wäre gewesen	wir würden sein	wir würden gewesen sein
wir wären	wir wären gewesen	ihr würdet sein	ihr würdet gewesen sein
ihr wäret	ihr wäret gewesen	sie/Sie würden sein	sie/Sie würden gewesen sein

Übungsbeispiele

A. Verwendung als Hilfsverb

1. Gestern morgen **bin** ich schon sehr früh aufgewacht.
2. Wo **ist** der Professor geblieben?
3. Letzten Winter **war** die Alster nicht zugefroren.
4. **Bist** du mit dem Zug oder mit dem Auto gefahren?
5. Wir **sind** zu Fuß gekommen.
6. Du **warst** zu spät zum Unterricht gekommen.
7. Viele Flüchtlinge **sind** zu Fuß aus Griechenland gekommen.
8. Hätten wir das gewußt, **wären** wir mit dem Auto gefahren.
9. Wir **sind** mitten in der Nacht durch einen lauten Knall aufgewacht.
10. **Ist** es dir gelungen noch eine Konzertkarte zu bekommen?
11. Mein Nachbar **ist** gestorben.
12. Leider **ist** dir dein Test B1 misslungen.
13. Das Essen **war** total misslungen.
14. Warum **bist** du heute so spät aufgewacht?
15. Gestern **bin** ich im Supermarkt einer hübschen Frau begegnet.
16. Meine Katze **ist** auf einen Baum geklettert.
17. Meine Freundin **war** schon vor ein paar Monaten aus der Klinik entlassen worden.
18. Ich **wäre** dumm gewesen, wenn ich dir nicht geholfen hätte.
19. Du **würdest** nicht mehr mein Freund **sein**, wenn du mich hier im Stich gelassen hättest.
20. Wir **würden** glücklich gewesen **sein**, wenn wir den Jackpot geknackt hätten.
21. Du **bist** aber seit unserer letzten Begegnung ordentlich gewachsen.
22. Die Gasflasche **ist** explodiert.
23. Die Männer **sind** dem Dieb gefolgt.
24. Meine Nachbarn **sind** nach Australien ausgewandert.
25. Als Kinder **sind** wir jeden Tag auf den Spielplatz gegangen.
26. Das Flugzeug **ist** sicher gelandet.

B. Verwendung als Vollverb

1. Du **bist** eine hübsche Frau.
2. Du **bist** schön.
3. Er **ist** noch sehr jung.
4. Ich **bin** groß.
5. **Wäret** ihr brav gewesen, hättet ihr die Belohnung erhalten!
6. Wie alt **bist** du?
7. Ich **bin** 12 Jahre alt.
8. Welchen Beruf übt dein Vater aus? **Ist** er Matrose oder Lotse?
9. Mohamed **ist** Gemüsehändler.
10. Tarek **ist** Teppichhändler.
11. Nächste Woche **ist** Freitag, der Dreizehnte.
12. Heute **ist** Mittwoch, der Zehnte.
13. Wieviel Uhr **ist** es jetzt? Es **ist** jetzt genau 14 Uhr.
14. Wer **bist** du? Ich **bin** Hadschi Halef Omar.
15. **Bist** du der Freund von von Kara Ben Nemsi?
16. In meiner Wohnung **sind** viele Türen.
17. In deinem Garten **sind** viele Blumen.
18. In dieser Garage **ist** mein Fahrrad.
19. Das **ist** Doktor Müller.
20. **Ist** hier das Haus von Anna?
21. Wo **ist** der Professor?
22. Das **ist** Ahmed.
23. Er **ist** Syrer.
24. Alina **ist** Lehrerin.
25. **Seid** ihr glücklich?
26. Alina **ist** gestern beim Arzt gewesen.
27. Mein Bruder **war** schon oft in Rom gewesen.
28. Was macht deine Schwester? Sie **ist** Köchin.
29. Wo **ist** der Hausmeister während des Wasserrohrbruchs gewesen?
30. Beim gestrigen Wohnungsbrand ist niemand in Gefahr gewesen.

DAS HILFSVERB „HABEN"

- Die Verben **„haben"**, **„werden"** und **„sein"** sind **Hilfsverben**.
- Als Hilfsverben können sie im Deutschen im Gegensatz zu den Vollverben **nicht eigenständig** und allein das Prädikat des Satzes bilden.
- Das Hilfsverb **„haben"** kann zur **Bildung einer zusammengesetzten Zeitform** gemeinsam mit einem Vollverb verwendet werden.
    - Ich **habe** mir ein Buch **gekauft**.
    - Gestern **hatten** wir uns zusammen einen Film **angeschau**t.
    - Ich **hätte** den Lehrer **gefragt**.
- Im Zusammenhang mit einer Besitzanzeige kann das Hilfsverb **„haben"** auch als **Vollverb** verwendet werden.
    - Mohammed **hat** ein Motorrad.
    - Wir **haben** Hunger.
    - Du **hast** recht.
- Das Hilfsverb „haben" kann auch in Verbindung mit der Präposition **„zu"** und dem **„Infinitiv"** eines Vollverbs Verwendung finden.
    - Der Schüler **hat** noch einiges **zu lernen**.
    - Ich **hatte** noch vor dem Kinofilm meinen Rasen **zu mähen**.
    - Sie **hat** noch eine Rechnung **zu begleichen**.
- Das Hilfsverb „haben" wird auch zur Bildung der Perfekt- bzw. Plusquamperfektform von **Modalverben** verwendet.
    - Du **hast** alles aufessen **müssen**.
    - Er **hatte** früh zu Bett gehen **müssen**.
    - Du **hättest** dich entschuldigen **sollen**.

KONJUGATION VON „HABEN"

INDIKATIV

PRÄSENS	*PRÄTERITUM*	*PERFEKT*
ich habe	ich hatte	ich habe gehabt
du hast	du hattest	du hast gehabt
er/sie/es hat	er/sie/es hatte	er/sie/es hat gehabt
wir haben	wir hatten	wir haben gehabt
ihr habt	ihr hattet	ihr habt gehabt
sie/Sie haben	sie/Sie hatten	sie/Sie haben gehabt

PLUSQUAM-PERFEKT	*FUTUR I*	*FUTUR II*
ich hatte gehabt	ich werde haben	ich werde gehabt haben
du hattest gehabt	du wirst haben	du wirst gehabt haben
er/sie/es hatte gehabt	er/sie/es wird haben	er/sie/es wird gehabt haben
wir hatten gehabt	wir werden haben	wir werden gehabt haben
ihr hattet gehabt	ihr werdet haben	ihr werdet gehabt haben
sie/Sie hatten gehabt	sie/Sie werden haben	sie/Sie werden gehabt haben

PARTIZIP PRÄSENS: habend   **IMPERATIV: hab(e)**

PARTIZIP PERFEKT: gehabt

KONJUNKTIV I

PRÄSENS	PERFEKT	FUTUR I	FUTUR II
ich habe	ich habe gehabt	ich werde haben	ich werde gehabt haben
du habest	du habest gehabt	du werdest haben	du werdest gehabt haben
er/sie/es habe	er/sie/es habe gehabt	er/sie/es werde haben	er/sie/es werde gehabt haben
wir haben	wir haben gehabt	wir werden haben	wir werden gehabt haben
ihr habet	ihr habet gehabt	ihr werdet haben	ihr werdet gehabt haben
sie/Sie haben	sie/Sie haben gehabt	sie/Sie werden haben	sie/Sie werden gehabt haben

KONJUNKTIV II

PRÄSENS	PLUSQUAM-PERFEKT	FUTUR I	FUTUR II
ich hätte	ich hätte gehabt	ich würde haben	ich würde gehabt haben
du hättest	du hättest gehabt	du würdest haben	du würdest gehabt haben
er/sie/es hätte	er/sie/es hätte gehabt	er/sie/es würde haben	er/sie/es würde gehabt haben
wir hätten	wir hätten gehabt	wir würden haben	wir würden gehabt haben
ihr hättet	ihr hättet gehabt	ihr würdet haben	ihr würdet gehabt haben
sie/Sie hätten	sie/Sie hätten gehabt	sie/Sie würden haben	sie/Sie würden gehabt haben

„HABEN" ODER „SEIN"

Das Hilfsverb **„haben"** (im Perfekt/Plusquamperfekt) wird u.a. verwendet bei:

1. **intransitiven Verben(= alle Verben, die wir ohne Akkusativobjekt („Wen/ Was?") verwenden, die keine Orts-/Zustandsänderung ausdrücken**
2. **allen transitiven Verben (= Verben mit einem Akkusativobjekt)**
3. **reflexiven Verben (=Verben, die mit dem Reflexivpronomen** *sich* **stehen)**

Beispiele

a) Wir **haben** heute Nacht **getanzt.**

b) Wir **hatten** uns **verlaufen.**

c) Gestern **haben** wir Sport **gemacht.**

d) Sie **haben** das Auto in der Garage **geparkt.**

e) **Habt** ihr den Vertrag **unterschrieben?**

f) Wer **hat** die Gläser **abgewaschen?**

g) Gestern **hast** du das Fenster nicht **geschlossen!**

h) In der Nachbarschaft **hatte** ein Haus **gebrannt.**

Das Hilfsverb **„sein"** (im Perfekt/Plusquamperfekt) wird u.a. verwendet bei:

1. **intransitiven Verben, die eine Ortsänderung ausdrücken**
2. **intransitiven Verben der Zustandsänderung**
3. **weiter Verben, wie z.B. bleiben, sein, werden**

Übungsbeispiele:

a) Das Auto **ist** schon in der Garage **geparkt.**

b) Der Marathonläufer **waren** die Gesamtstrecke in 2:45 h **gelaufen.**

c) Der Dachziegel **war** schon vor einer Woche vom Dach **gefallen.**

d) Letztes Jahr **bin** ich 2x in die USA **geflogen.**

e) Dieses Jahr **seid** ihr zum Urlaub in den Schwarzwald **gefahren.**

f) Wir **waren** zu Hause **geblieben.**

DAS HILFSVERB „WERDEN"

Das Hilfsverb „**werden**" hat in der deutschen Sprache viele verschiedene Funktionen.

Das Hilfsverb „werden" findet Verwendung:

- bei der **Bildung des Futurs**:   werden + Infinitiv
    - Ich **werde** mit dir Schach **spielen**.
    - Du **wirst** mir bei den Hausaufgaben **helfen**.
    - Morgen **werde** ich Hühnersuppe **kochen**.

- bei der **Bildung des Passivs**:   werden + Partizip Perfekt
- Du **wirst** von deinem Lehrer **gelobt**.
- Das Fenster **wird geschlossen**.
- Der Kuchen **wird** im Backofen **gebacken**.

- bei der **Bildung des Konjunktivs II Präsens: würden + Infinitiv**
- Mama, **würdest** du mir bitte eine DVD von Helene Fischer **kaufen**?
- Wenn Mohamed Geld hätte, **würde** er sich ein großes Boot **kaufen**.
- **Würdest** du so nett sein und mir eine Tasse Tee **bringen**?

- bei bestimmten **feststehenden Verbverbindungen: schwanger werden, krank werden gesund werden** usw.
- Die Pille ist seit Jahren das Verhütungsmittel Nr. 1 bei den Frauen. Und trotzdem **werden** jedes Jahr viele Frauen in Deutschland **schwanger**.
- Wer sich gerade auf großer Urlaubsreise im Ausland befindet und **krank wird**, muss seinen Arbeitgeber darüber informieren.
- Ich wünsche dir von Herzen, dass du bald wieder **gesund wirst**.

- als **Vollverb** in der Bedeutung: einen bestimmten Zustand zu erreichen
- Ich **bin** gerne Lehrer **geworden**.
- Mein Bruder **wird** Arzt.
- Das Wetter **wird** morgen schlechter.

- als **Funktionsverb** in Verbindung mit Adjektiven/Adverbien usw.
- Dem Sieger **wurde** eine große Ehre **zuteil**.
- Die HSV-Spieler **wurden** ihren eigenen Ansprüchen nicht **gerecht**.
- Der Schiedsrichter konnte der Situation **Herr werden**.

KONJUGATION VON „WERDEN"

INDIKATIV

PRÄSENS	PRÄTERITUM	PERFEKT
ich werde	ich wurde	ich bin geworden
du wirst	du wurdest	du bist geworden
er/sie/es wird	er/sie/es wurde	er/sie/es ist geworden
wir werden	wir wurden	wir sind geworden
ihr werdet	ihr wurdet	ihr seid geworden
sie/Sie werden	sie/Sie wurden	sie/Sie sind geworden

PLUSQUAM-PERFEKT	FUTUR I	FUTUR II
ich war geworden	ich werde werden	ich werde geworden sein
du warst geworden	du wirst werden	du wirst geworden sein
er/sie/es war geworden	er/sie/es wird werden	er/sie/es wird geworden sein
wir waren geworden	wir werden werden	wir werden geworden sein
ihr wart geworden	ihr werdet werden	ihr werdet geworden sein
sie/Sie waren geworden	sie/Sie werden werden	sie/Sie werden geworden sein

PARTIZIP PRÄSENS: werdend   **IMPERATIV: werde**

PARTIZIP PERFEKT: geworden

KONJUNKTIV I

PRÄSENS	PERFEKT	FUTUR I	FUTUR II
ich werde	ch sei geworden	ich werde werden	ich werde geworden sein
du werdest	du seist geworden	du werdest werden	du werdest geworden sein
er/sie/es werde	er/sie/es sei geworden	er/sie/es werde werden	er/sie/es werde geworden sein
wir werden	wir seien geworden	wir werden werden	wir werden geworden sein
ihr werdet	ihr seiet geworden	ihr werdet werden	ihr werdet geworden sein
sie/Sie werden	sie/Sie seien geworden	sie/Sie werden werden	sie/Sie werden geworden sein

KONJUNKTIV II

PRÄTERITUM	PLUSQUAM-PERFEKT	FUTUR I	FUTUR II
ich würde	ich wäre geworden	ich würde werden	ich würde geworden sein
du würdest	du wärest geworden	du würdest werden	du würdest geworden sein
er/sie/es würde	er/sie/es wäre geworden	er/sie/es würde werden	er/sie/es würde geworden sein
wir würden	wir wären geworden	wir würden werden	wir würden geworden sein
ihr würdet	ihr wäret geworden	ihr würdet werden	ihr würdet geworden sein
sie/Sie würden	ihr wäret gewesen	sie/Sie würden sein	sie/Sie würden gewesen sein

DER DEMONSTRATIVARTIKEL

Im Deutschen gibt es drei Demonstrativpronomen bzw. Demonstrativartikel:

1. *dieser, diese, dieses*
2. *jener, jene, jenes*
3. *der, die, das*

Das Demonstrativpronomen kann allein oder in Funktion eines Artikels auftreten. Tritt es in Funktion eines Artikels auf, spricht man von einem **Demonstrativartikel.**

"**Dies-**" wird benutzt, wenn eine Person oder Sache vom Sprecher aus gesehen räumlich oder zeitlich näher ist.

"**Jene-**" wird benutzt, wenn eine Person oder Sache vom Sprecher aus gesehen räumlich oder zeitlich weiter entfernt ist.

<u>Beispiele:</u>

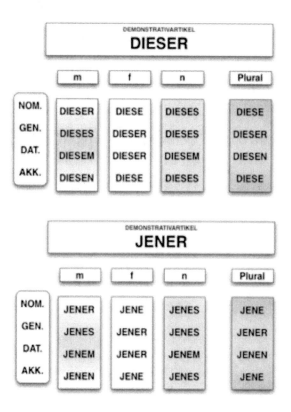

DEMONSTRATIVARTIKEL
DIESER

	m	f	n	Plural
NOM.	DIESER	DIESE	DIESES	DIESE
GEN.	DIESES	DIESER	DIESES	DIESER
DAT.	DIESEM	DIESER	DIESEM	DIESEN
AKK.	DIESEN	DIESE	DIESES	DIESE

DEMONSTRATIVARTIKEL
JENER

	m	f	n	Plural
NOM.	JENER	JENE	JENES	JENE
GEN.	JENES	JENER	JENES	JENER
DAT.	JENEM	JENER	JENEM	JENEN
AKK.	JENEN	JENE	JENES	JENE

ARTIKELPRÄPOSITIONEN

Eine **Artikelpräposition** ist eine **Zusammenfügung aus einer Präposition** und einem **Artikel** zu einem neuen Wort.

Präposition + Artikel ==> Artikelpräposition

Eine **Verschmelzung von Präposition + Artikel** kommen bei den folgenden Präpositionen vor:

---

an, auf, bei, durch, für, hinter, in, über, um, unter, von, vor, zu

---

Häufige Artikelpräpositionen sind zum Beispiel:

	maskulin /neutral		feminin
	dem *(Dativ)*	**das** *(Akkusativ)*	**der** *(Genitiv)*
an	am	ans	-
bei	beim	-	-
in	im	ins	-
von	vom	-	-
zu	zum	-	zur

Beispiele zu Artikelpräpositionen

1. Die Nachricht traf ihn **ins** Herz.
2. Sie nannte die Dinge **beim** Namen.
3. Wann kommst du endlich **zur** Sache?
4. Bei uns zu Hause gilt: **Beim** Essen spricht man nicht!
5. Alina hat große Freude **am** Tanzen.
6. Ich habe immer noch den großen Traum **vom** Reisen in die weite Welt.
7. Ich muss die Geschäfte **im** Sinne meines Freundes regeln.
8. Gestern kamen bei einem Verkehrsunfall drei Menschen **ums** Leben.
9. Nächstes Jahr werde ich **am** 5.August **ans** Mittelmeer fahren.
10. Frankfurt liegt **am** Main und Hamburg an der Elbe.
11. Ein Freundin von mir arbeitet **im** Krankenhaus, ein Freund in der Klinik.
12. Gestern war ich **beim** Bürgermeister.
13. Mein Freund repariert sein Radio. **Am** Verstärker war etwas nicht in Ordnung.
14. Sarah flüstert ihm etwas **ins** Ohr.

Fast nur in der Umgangssprache anzutreffende Artikelpräpositionen sind:

	maskulin		neutral	
	dem *(Dativ)*	den *(Akkusativ)*	dem(Dativ)	den (Akkusativ)
auf	-	-	-	aufs
durch	-	-	-	durchs
für	-	-	-	fürs
hinter	hinterm	hintern	hinterm	hinters
über	überm	übern	überm	übers
um	-	-	-	ums
unter	unterm	untern	unterm	unters
vor	vorm	-	vorm	vors

JEDER, JEDWEDER, JEGLICHER

Die Fürwörter *jeglicher* und *jedweder* haben die gleiche Beugung (Flexion) wie das *Indefinitpronomen JEDER.*

Die Indefinitpronomen (= unbestimmte Fürwörter) *jeder, jeglicher* und *jedweder* werden als <u>Artikelwörter</u> vor einem Nomen verwendet.
Von den drei Pronomen ist *jeder* das gebräuchlichste.
Die Fürwörter *jeglicher* und *jedweder* gehören zum gehobenen, eher veralteten Sprachgebrauch.
Jeder, jedweder und *jeglicher* werden <u>nur im Singular</u> verwendet.

Jeder und *jeglicher* bilden mit dem unbestimmten Artikel „*ein*" eine feste Verbindung. Diese Verbindungen *ein jeder* und *ein jeglicher* haben die gleiche Bedeutung wie *jeder* und *jeglicher*. In der Verbindung werden *jeder* und *jeglicher* wie ein Adjektiv nach dem unbestimmten Artikel gebeugt.

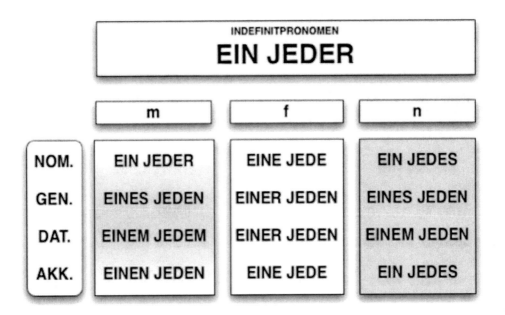

INDEFINITPRONOMEN

EIN JEDER

	m	f	n
NOM.	EIN JEDER	EINE JEDE	EIN JEDES
GEN.	EINES JEDEN	EINER JEDEN	EINES JEDEN
DAT.	EINEM JEDEM	EINER JEDEN	EINEM JEDEN
AKK.	EINEN JEDEN	EINE JEDE	EIN JEDES

Beispiele für **gehobene** Sprache:

1) Ein **jeglicher** Baum, der nicht gute Früchte bringt, wird abgehauen und ins Feuer geworfen.
2) Ihr sollt euch bekehren, **ein jeder** von seinem bösen Wesen.
3) Und alle machten sich auf den Weg, ein **jeglicher** in seine Stadt.
4) Helene Fischer ist ein Star, den **jeder** kennt.
5) Schweinefleisch ist nicht **eines jeden** Geschmack.
6) Unser Deutschkurs ist für **einen jeden** leicht verständlich.
7) Unser Deutschkurs ist nicht **eines jeden** Sache.
8) In meinem Bücherregal steht das Buch „Deutsche Grammatik für **jedermann**".
9) Hier ist für **einen jeden** Rauchverbot.

Alltagssprache:

10) **Jeder** Mensch sollte Gutes tun.
11) **Jeder** Mensch ist ein Lebewesen, kein Mensch ist ein Baum.
12) Die Fußballmannschaft des HSV spielte ohne **jede** Chance gegen den FC Bayern München.
13) Nach dem Verkehrsunfall befragte der Polizist **jeden** Zeugen einzeln.
14) Dass 3 x 3 = 9 ist, weiß **jedes** Kind.
15) In meiner Strasse gibt es einen Laden mit „Kauf und Ankauf von Antiquitäten **jeder** Art."
16) Der Satz „**Jedem** das Seine!" (*Suum cuique*) geht als Grundsatz auf das antike Griechenland zurück.
17) **Jeder** soll das Seine tun, und zwar in Art und Umfang so, wie es seinen Möglichkeiten entspricht.
18) Wenn ich auf dem Turm stehe, kann ich in **jede** Richtung sehen.
19) Ich sehe in **jeder** Richtung nur Nebel.

PRÄPOSITIONEN

In der deutschen Sprache gibt es sehr, sehr viele Verhältniswörter, sogenannte Präpositionen.

Präpositionen sind Wörter, die einen Platz oder Raum beschreiben.	Präpositionen sind Wörter, die einen genauen Zeitpunkt oder einen Zeitraum beschreiben.
Präpositionen zeigen, wie sich Nomen zu anderen Nomen verhalten.	Präpositionen sind unveränderlich.

Eine Präposition steht niemals alleine. In der Regel steht die Präposition vor einem Bezugswort. Dieses Bezugswort ist in der Regel ein Nomen oder Pronomen.

Ein paar Beispiele für Präpositionen:

Woher?
ab, aus, von

Wo?
abseits, an, auf, außer, außerhalb, bei, diesseits, entlang, gegenüber, hinter, in, inmitten, innerhalb, jenseits, längs, neben, oberhalb, über, unter, unterhalb, unweit, vor, zwischen,

Wohin?
an, auf, bis, durch, gegen, hinter, in, nach, neben, über, unter, vor, zu, zwischen...

Wann?
ab, an, auf, bei, binnen, bis, durch, für, gegen, in, innerhalb, mit, nach, über, um, von, vor, während, zu, zwischen…

Warum, weshalb?

angesichts, anlässlich, auf, aufgrund, aus, bei, betreffs, bezüglich, dank, durch, für, gemäß, halber, infolge, kraft, laut, mangels, mit, mittels, nach, seitens, trotz, über, um, unbeschadet, ungeachtet, unter, von, vor, wegen, zu, zufolge, zwecks...

abzüglich, auf, aus, ausschließlich, außer, bei, bis, an, bis auf, bis zu, einschließlich, entgegen, für, gegen, gegenüber, in, mit, mitsamt, nebst, ohne, samt, statt, unter, von, wider, zu, zuwider, zuzüglich...

DATIV ODER AKKUSATIV?

Bei einigen Präpositionen steht immer der Dativ, beim anderen

Präpositionen steht immer der Akkusativ

Außerdem gibt es noch Präpositionen mit Dativ oder Akkusativ,

je nach Fragestellung: wo —> Dativ und wohin —> Akkusativ

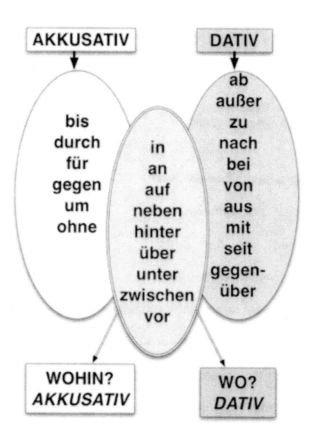

Beispiele:

Der Ball ist **über** der Kiste.

Der Ball ist **in** der Kiste.

Der Ball ist **auf** der Kiste.

Der Ball ist **unter** der Kiste.

Das Mädchen sitzt
links **neben** der Kiste.

Der Junge sitzt
rechts **neben** der Kiste.

1. Das Flugzeug fliegt **über** die Stadt.

2. Der Vogel sitzt **auf dem** Baum.

3. Der Vogel fliegt **über den** Baum.

4. Ahmed geht morgen **zum** Arzt.

5. Tim saß heute sehr lange **im** Wartezimmer **beim** Augenarzt.

6. Tawil geht erst nächste Woche **zum** Hals-Nasen-Ohren-Ärztin.

7. Helga ist schon **zu** Hause und kocht das Mittagessen.

8. Tim geht erst **um** 12 Uhr **nach** Hause.

9. **Gegenüber** dem Krankenhaus gibt es eine Apotheke.

10. Die Bücher stehen **im** Regal.

11. Hans stellt sein Buch **auf das** Regal.

12. Die Arbeitsblätter befinden sich **in der** Mappen.

13. Dieser Apfel liegt **außerhalb** der Kiste.

24) Der Arzttermin liegt **innerhalb** der Ferien.

25) Der Ball rollt **unter** das Auto.

26) Der Ball rollt **vor** dem Auto.

27) Die Kinder spielen **neben** der Fabrik.

Der Hund liegt **unter** dem Tisch.

14. Die Lampe hängt **über** dem Tisch.

15. Wenn es regnet, bleibe ich **im** Haus.

16. In drei Wochen fliege ich **in** die USA.

17. Morgen klettert die Quecksilbersäule **über** 22 Grad Celsius.

18. Mein Bruder wird nächste Woche **aus** Syrien kommen.

19. Wohnst du auch **auf** dem Schwarzenberg?

20. **Hinter** dem Sofa steht ein Schrankregal.

21. Wir gehen **zur** Bushaltestelle.

22. Die Kinder sitzen hinten im Auto hinter **dem** Fahrer.

23. Bitte stellen Sie das Regal hinter **das** Sofa.

24. Wir gehen **zum** Bahnhof.

TEMPORALE PRÄPOSITONEN

ab, an, auf, aus, außerhalb, bei, binnen, bis, für, gegen, in, innerhalb, mit, nach, seit, über, um, unter, von, vor, während, zu, zwischen
Präpositionen der Zeit erfragen wir entweder mit „Wie lange?" oder mit „Wann?".
Wir unterscheiden daher zwischen **Zeitdauer** und **Zeitpunkt.**
Bei der Zeitdauer erfragen wir einen Zeitraum:

ZEITDAUER

	W- FRAGEN	TEMPORALE PRÄPOSITONEN
AKK.	für wie lange? wie lange?	für über
DAT.	wann? ab wann?	ab von...an
DAT.	wann? wobei? bis wann?	bei bis (zu)
DAT.	seit wann?	seit
DAT.	von wann bis wann?	von ..... bis
DAT.	wann?	zwischen
GEN.	wann?	außerhalb
GEN.	wann?	innerhalb
GEN.	wann?	während

Beim einem Zeitpunkt geht es um die exakte Zeit:
„wann genau", „um wie viel Uhr".

	W- FRAGEN	TEMPORALE PRÄPOSITONEN
AKK.	wann? um wie viel Uhr?	gegen (ungenau)
AKK.	wann? um wie viel Uhr?	um (genau)
DAT.	wann?	an
DAT.	wann?	aus
DAT.	wann wobei?	bei
DAT.	wann?	in
DAT.	wann?	nach
DAT.	wann?	vor

Beispiele:

1. Wie lange bleiben Sie hier?   Ich bleibe für **drei** Wochen hier.
2. Im Oktober fliege ich **in** zwei Wochen in die USA.
3. **An** Weihnachten fahre ich **über** die Feiertage **für** ein paar Tage weg.
4. **Beim** Essen soll man keine Zeitung lesen!
5. Ahmed hat seine Frau **beim** Deutschkurs kennen gelernt.
6. Meine Geburtstagsfeier dauerte **bis in** den Morgengrauen.
7. Wie lange wartest du schon an der Bushaltestelle?   **Seit** zwanzig Minuten.
8. Abdul hat **seit** seiner Flucht Heimweh.
9. **Über** das Wochenende fahren wir kurz weg.
10. **Ausserhalb** der Sprechstunde ist keine Arzt erreichbar.
11. **Innerhalb** von drei Tagen bin ich zweimal beim Arzt gewesen.
12. Kinder sollen nicht **während** des ganzen Tages vor dem Fernseher sitzen!
13. Wann treffen wir uns genau?   **um** 14 Uhr!
14. Wann kommst du in etwa wieder?   So **um** 16 Uhr!
15. Wir fahren **um** 16.14 Uhr mit der S-Bahn nach Hamburg.
16. Wann kommt Tina wieder ins Café Refugio?   **am** kommenden Mittwoch!
17. Wann bist du geboren?   **am** 12.12.1984
18. Kommst du morgen Vormittag ins Café Refugio? Nein, erst **am** Nachmittag **um** 15 Uhr.
19. Wann schreibt ihr den nächsten Deutschtest? Wir schreiben erst **in** einer Woche wieder einen Test.
20. Um wie viel Uhr beginnt das Fußballspiel?   **um** 20.30 Uhr!
21. **Innerhalb** der letzten drei Monate hatten wir keinen Schneefall.
22. **Ausserhalb** der Wintersaison ist kein Skilift in Betrieb!
24. **Zwischen** dem 23.12. und dem 27.12. bleibt das Café geschlossen.
25. Wir erwarten den Besuch kurz **vor** 17 Uhr.

MODALE PRÄPOSITONEN

abzüglich, anstatt, auf, aus, ausschließlich, außer, einschließlich, entgegen, exklusive, für, gegen, gegenüber, in, inklusive, mit, mitsamt, nebst, ohne, samt, statt, unter, von, wider, zu, zuzüglich

Modale Präpositionen kennzeichnen die Art und Weise. Präpositionen der Art und Weise erfragen wir mit „Wie?"

1. Ich bin **mit** dem Fahrrad nach Hause gefahren.
2. Kannst du das noch einmal **auf** Deutsch wiederholen.
3. Du zahlst für deine Wohnung 580,- EURO pro Monat, **exklusive** Mietnebenkosten.
4. Ihrer Frau **gegenüber** ist das ungerecht.
5. Die gesamte Familie **mitsamt** dem Hund kam zu meiner Geburtstagsfeier.
6. Der Gesamtpreis für das Essen betrug 19,- EURO, **inklusive** Getränke.
7. Ein Vegetarier ernährt sich **ausschließlich** von Obst und Gemüse.
8. **Anstatt** dem verunglückten Radfahrer zu Hilfe zu kommen, beging der Autofahrer Fahrerflucht.
9. Wir fahren **ohne** das Auto in den Urlaub.
10. Ich gehe bei diesem Wetter nicht **ohne** Regenschirm aus dem Haus.
11. Der Vermieter kommt uns mit einer Mietminderung **entgegen**.
12. Die Kinder sind beim Kindergeburtstag **außer** Rand und Band.
13. Welche Pflichten hat ein Mann **gegenüber** seiner Frau zu erfüllen?
14. Kann man in Deutschland **wider** seinen Willen in die Psychiatrie eingewiesen werden?

PRÄPOSITIONEN MIT NACHFOLGENDEM GENITIV

Jede Präposition verlangt einen bestimmten Fall (Kasus), in dem wir das zugehörige Wort (Nomen, Pronomen, Artikel) verwenden müssen.
Die folgenden Präpositionen verlangen nachfolgend den Genitiv:

PRÄPOSITIONEN MIT GENITIV

während	dank
trotz	gemäß
(an-)statt	mittels
oberhalb	inmitten
unterhalb	angesichts
innerhalb	statt
außerhalb	anlässlich
diesseits	innerhalb
jenseits	wegen
abseits	anstelle
zwecks	anhand
mittels,	trotz
ungeachtet	infolge
unweit	unterhalb
zugunsten	entlang

Beispiele:

1. **Während** meiner Abwesenheit wurde bei mir zu Hause eingebrochen.
2. **Wegen** des starken Regens blieb ich zu Hause.
3. Trotz aller Bemühungen verstarb das Unfallopfer noch am Unfallort.
4. **Anstatt** des Unterrichts gingen die Schüler ein Eis essen
5. **Oberhalb** der Baumgrenze wächst in den Alpen kein einziger Baum mehr.
6. **Unterhalb** der Nase befindet sich der Mund.

7. **Innerhalb** des Strafraums wird jedes Foul mit einem Elfmeter geahndet.
8. Der Schuttabladeplatz befindet sich **außerhalb** der Stadt.
9. **Diesseits und jenseits** des Flusses ist das Gras noch nicht gemäht worden.
10. Meinen Urlaub verbringe ich **abseits** des Trubels in einem stillen Bergdorf in Italien.
11. **Dank** der bestandenen TÜV Überprüfung kann ich nun wieder 2 Jahre lang mit meinem Auto fahren.
12. **Gemäß** der Vereinssatzung treffen sich die Vorstandsmitglieder einmal im Monat im Gasthaus „ Zur alten Post".
13. **Zwecks** einer Ausbildung geht unser Lehrling zweimal pro Woche in die Berufsschule
14. **Mittels** eines Abschleppseils konnte er sein Auto aus dem Graben ziehen.
15. **Ungeachtet** seines hohen Alters nahm der 80-jährige Läufer noch am Marathon teil.
16. **Unweit** des Tatorts fand die Polizei den Täter.
17. **Zugunsten** unfallgeschädigter Kinder findet jährlich in der Harburger Friedrich Ebert Halle ein Benefizkonzert statt.
18. **Dank** der Mithilfe der Bevölkerung wurde der Täter schnell gefasst.
19. **Angesichts** seiner Schulden gibt ihm die Bank keinen weiteren Kredit.
20. **Anstelle** des Spielers äußerte sich sein Trainer zum Spielverlauf.
21. Der Dieb wurde **anhand** seines Fingerabdruckes überführt.
22. **Infolge** einer Wundinfektion musste der Mann länger im Krankenhaus bleiben.
23. **Entlang** des Wegrandes blühen viele verschiedene Blumen.

SUBSTANTIVE MIT PRÄPOSITIONEN

- Viele Ausdrücke in der deutschen Sprache sind wiederkehrende, fest zusammenhängende Begriffe.
- Es gibt z.B. viele Nomen (Substantive), die fest mit einer **Präposition mit nachfolgendem Dativ oder Akkusativ** verbunden sind.

Beispiele:

Substantiv	Präposition + Kasus D = Dativ A = Akkusativ
die Abhängigkeit	von + D
die Änderung	an + D
der Anfang	mit + D
die Angst	vor + D
die Anpassung	an + A
die Antwort	auf + A
der Ärger	über + A
der Ärger	mit + D
die Aufregung	über + A
der Austausch	mit + D / über + A
die Begeisterung	für + A
der Beitrag	zu + D
der Bericht	über + A / von + D
die Beschäftigung	mit + D
die Beschwerde	über + A / bei + D
die Bewerbung	um + A / bei + D
der Bezug	auf + A
die Bitte	um + A
der Dank	für + A
der Gedanke	an + A
die Diskussion	über + A / mit + D
die Eignung	für + A / zu + D
die Einladung	zu + D
das Engagement	für + A

die Entscheidung	für + A / gegen + A
der Entschluss / die Entschlossenheit	zu + D
die Entschuldigung	für + A / bei + D
die Erholung	von + D
die Erinnerung	an + A
die Erkundigung	bei + D / nach + D
die Erzählung	von + D
die Frage	nach + D
die Freude	auf + A
die Freude	über + A
die Freude	zu + D
die Gewöhnung	an + A
der Glaube	an + A
die Gratulation	zu + D
die Gratulation	für + A
die Hilfe	bei + D
der Hinweis	auf + A
die Hoffnung	auf + A
die Information	über + A / bei + D
das Interesse	für + A
die Investition	in + A
der Kampf	für + A / gegen + A
die Konzentration	auf + A
der Protest	gegen + A
die Reaktion	auf + A
die Rede	von + D / über + A
der Geschmack	nach + D
der Sieg	über + A
die Sorge	um + A
die Spezialisierung	auf + A
das Gespräch	über + A / mit + D / von +D
der Streit	über + A / um + A / mit +D
die Suche	nach + D
die Teilnahme	an + D

die Tendenz	zu + D
das Treffen	mit + D
die Trennung	von + D
die Unterhaltung	über + A / mit + D
die Unterscheidung	nach + D, von + D
die Verabredung	mit + D
die Verabschiedung	von + D
die Verbindung	mit + D
der Vergleich	mit + D
die Verliebtheit	in + A
das Vertrauen	auf + A
der Verzicht	auf + A
die Vorbereitung	auf + A
die Warnung	vor + D
die Werbung	für + A
die Wirkung	auf + A
die Verwunderung	über + A
der Zweifel	an + D

Beispielsätze:

1. Ich habe keine **Angst vor** Hunden.
2. Welcher Schauspieler macht **Werbung für** Kartoffelbrei?
3. Mohammeds **Bitte um** Verlängerung seiner Aufenthaltsgenehmigung wurde stattgegeben.
4. Seine **Eifersucht auf** ihre Kommilitonen war unbegründet.
5. Ich empfinde große **Dankbarkeit für** meine vollständige Genesung.
6. Die **Abhängigkeit vom** Alkohol ist ein großes Problem für Fritz.
7. Ich habe **Interesse an** dieser Wohnung.
8. Wer **Lust auf** eine Runde Billard spielen?
9. Ich gebe die **Hoffnung auf** einen Sechser im Lotto nicht auf.
10. Wir haben große **Zweifel an** deiner Aussage.

ADJEKTIVE MIT PRÄPOSITIONEN

- Viele Ausdrücke in der deutschen Sprache sind wiederkehrende, fest zusammenhängende Begriffe.
- Es gibt z.B. viele Adjektive, die fest mit einer **Präposition mit nachfolgendem Dativ oder Akkusativ** verbunden sind.

Beispiele:

Adjektive	Präposition	Kasus
abhängig	von	Dativ
aggressiv	zu	Dativ
angenehm	für	Akkusativ
angeregt	von	Dativ
angesehen	bei	Dativ
angewiesen	auf	Akkusativ
ärgerlich	auf	Akkusativ
arm	an	Dativ
befreundet	mit	Dativ
begeistert	von	Dativ
bekannt	bei	Dativ
bekannt	für	Akkusativ
beliebt	bei	Dativ
bereit	zu	Dativ
beschäftigt	bei	Dativ
beschäftigt	mit	Dativ
beteiligt	an	Dativ
beruhigt	über	Akkusativ
beunruhigt	über	Akkusativ
bezeichnend	für	Akkusativ
blass	vor	Dativ
böse	auf	Akkusativ
charakteristisch	für	Akkusativ
dankbar	für	Akkusativ

eifersüchtig	auf	Akkusativ
einverstanden	mit	Dativ
entfernt	von	Dativ
entscheidend	für	Akkusativ
entschlossen	zu	Dativ
entsetzt	über	Akkusativ
enttäuscht	von	Dativ
erfahren	in	Dativ
erfreut	über	Akkusativ
erstaunt	über	Akkusativ
fähig	zu	Dativ
fertig	mit	Dativ
frei	von	Dativ
freundlich	zu	Dativ
froh	über	Akkusativ
geeignet	für	Akkusativ
geeignet	zu	Dativ
genervt	von	Dativ
gespannt	auf	Akkusativ
gewöhnt	an	Akkusativ
gierig	nach	Dativ
glücklich	über	Akkusativ
gut	in	Dativ
gut	bei	Dativ
gut	zu	Dativ
interessiert	an	Dativ
müde	von	Dativ
neidisch	auf	Akkusativ
nett	zu	Dativ
neugierig	auf	Akkusativ
nützlich	für	Akkusativ
offen	für	Akkusativ
reich	an	Dativ
rot	vor	Dativ

schädlich	für	Akkusativ
schuld	an	Dativ
stolz	auf	Akkusativ
stumm	vor	Dativ
traurig	über	Akkusativ
überzeugt	von	Dativ
unabhängig	von	Dativ
unangenehm	für	Akkusativ
unbeliebt	bei	Dativ
unerfahren	in	Dativ
unfreundlich	zu	Dativ
ungeeignet	zu	Dativ
unglücklich	über	Akkusativ
unnütz	für	Akkusativ
unschuldig	an	Dativ
unterteilt	in	Akkusativ
unzufrieden	mit	Dativ
verantwortlich	für	Akkusativ
verärgert	über	Akkusativ
verheiratet	mit	Dativ
verliebt	in	Akkusativ
verlobt	mit	Dativ
verrückt	nach	Dativ
verwandt	mit	Dativ
verwundert	über	Akkusativ
voll	von	Dativ
wichtig	für	Akkusativ
wütend	auf	Akkusativ
wütend	über	Akkusativ
zufrieden	mit	Da

Beispielsätze:

1. **Mit** meinem Zeugnis kann ich sehr **zufrieden** sein.
2. Ich bin doch sehr **verwundert über** deine Ansichten.
3. Mein Nachbar ist **mit** einer hübschen Frau **verheiratet**.
4. Die Eltern sind **für** ihre kleinen Kinder **verantwortlich**.
5. Ein guter Schulunterricht ist **wichtig für** die Schüler.
6. Mohammed ist **in** Anna **verliebt**.
7. Der Vater ist **stolz auf** die schulischen Leistungen seines Sohnes.
8. Der Trainer ist **verärgert über** die schwache Leistung seiner Mannschaft.
9. Der Spieler ist **unglücklich über** sein Eigentor.
10. Wer war gestern **schuld an** dem Unfall?
11. Der Klassenlehrer ist **beliebt bei** seinen Schülerinnen.
12. Die Studierenden sind in finanzieller Hinsicht oft noch **abhängig von** ihren Eltern.
13. Herr Herbert Wehner war **bekannt für** seine markanten Reden im Deutschen Bundestag.
14. Ich bin **begeistert vom** Spiel der Deutschen Nationalmannschaft in Frankreich.
15. Der Aussendienstmitarbeiter ist sehr **angesehen bei** seinem Abteilungsleiter.
16. Viele Menschen sind weltweit **beunruhigt über** die Erderwärmung.
17. Arbeitslose Menschen sind **auf** fremde Hilfe **angewiesen**.
18. Tamil ist **mit** einer hübschen Frau **verheiratet**.
19. Ein junges Mädchen ist noch **unerfahren in** Sachen Ehe.
20. Meine Nachbarin ist immer **unfreundlich zu** fremden Menschen.
21. Meine Oma ist **gut zu** ihrem Enkelkind.
22. Meine Tante ist immer **nett zu** unseren Kindern.

PRONOMEN

Pronomen sind **FÜRWÖRTER**, die ein Nomen (= Substantiv, Dingwort, Hauptwort oder Namenwort) ersetzen.

Die (meisten) Pronomen dienen als Platzhalter oder Stellvertreter für ein Nomen.

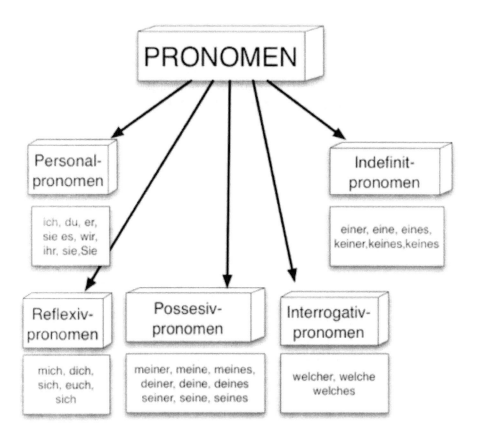

DAS PERSONALPRONOMEN

Hans übt für seine Mathearbeit.   Karin putzt die Fenster.

Er muss **sie** morgen schreiben!   **Sie** macht **sie** sauber.

Mit einem persönlichen Fürwort können wir ein bereits genanntes Nomen ersetzen. **Personalpronomen werden dekliniert.**

PERSONALPRONOMEN

SINGULAR

	1.Person	2.Person	3.Person		
NOM.	ICH	DU	ER	SIE	ES
GEN.	MEINER	DEINER	SEINER	IHRER	SEINER
DAT.	MIR	DIR	IHM	IHR	IHM
AKK.	MICH	DICH	IHN	SIE	ES

PLURAL

	1.Person	2.Person	3.Person
NOM.	WIR	IHR	SIE
GEN.	UNSER	EUER	IHRER
DAT.	UNS	EUCH	IHNEN
AKK.	UNS	EUCH	SIE

In einem Satz steht das Pronomen vor dem Nomen:

* Hans leiht **ihm** das **Buch**.

Kommen in einem Satz zwei Pronomen vor, steht der Akkusativ vor dem Dativ:

* Hans leiht **es ihm**.

Beispiele:

1. Das Haus gehört meiner Freundin. ⟶ Das Haus gehört **ihr**.

2. Die Wohnung gehört meinem Freund. ⟶ **Es** gehört **ihm**.

3. Meine Mutter hat einen Kuchen gebacken. ⟶ Sie hat ihn gebacken.

4. Mein Vater und meine Mutter haben mich besucht. **Sie** ⟶ haben **mich** besucht.

5. Hans hat Otto geholfen. ⟶ **Er** hat **ihm** geholfen!

6. Hast du Franz die Uhr geschenkt? ⟶ Ja, ich habe sie ihm geschenkt!

7. Hast du Lena den Ring gegeben? ⟶ Nein, ich habe ihn ihr nicht gegeben!

8. Hast du deinem Bruder den Brief gezeigt? ⟶ Ja, ich habe ihn ihm gezeigt!

9. Herr Fuchs, ich habe **Ihnen** einen Brief geschickt. Haben **Sie ihn** bekommen? Ja, Herr Kurz, meine Sekretärin hat **ihn mir** heute morgen gegeben.

DAS POSSESIVPRONOMEN

Wir unterscheiden zwischen **Personalpronomen (ich, du, er , sie , es, wir, ihr,sie), Possesivartikel** und **Possesivpronomen (mein - meiner, dein - deiner, usw.)**.

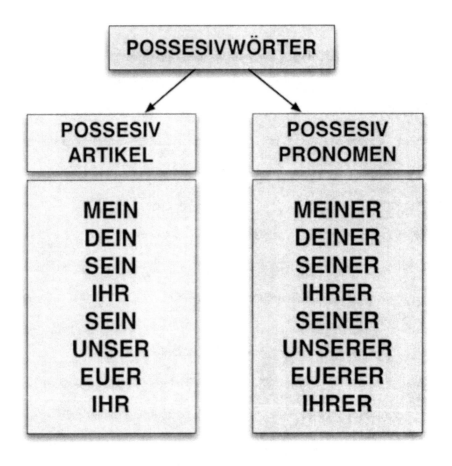

Gehört der Hund dir? Ja, es ist **mein** Hund. Ja, es ist **meiner**.

Als Pronomen wird das Possesivwort wie der bestimmte Artikel dekliniert.

	Singular (Einzahl)			Plural (Mehrzahl)
	maskulin	feminin	neutral	
Nominativ	mein	meine	mein(e)s	meine
Genitiv	meines	meiner	meines	meiner
Dativ	meinem	meiner	meinem	meinen
Akkusativ	meinen	meine	mein(e)s	meine

Beispiele

1. Gehört das Buch dir? Ja, es ist **meines**.

2. Wem gehört der Kugelschreiber? Das ist **meines**.

3. Auf dem Tisch liegt ein Handy. Ist das **meines**.

4. Sind das deine Hefte? Ja, das sind **meine**.

5. Ist das deine Wohnung? Nein, das ist nicht **meine** .

6. Ist das Mohammeds Handtuch? Nein, das ist nicht **seines**.

7. Sind das deine Sachen? Ja, das sind **meine** .

8. Ist das euere Wäsche? Ja, das ist **euere** .

9. Gehören die Taschentücher euch? Nein, das sind nicht **unsere**, sondern **euere** .

10. Hier liegt eine Tafel Schokolade. Ist das **deine**?

11. Hier liegt Geld auf dem Tisch, Karl. Ist das **deines**?

12. Gehört die Katze der Nachbarin? Ja, es ist **ihre** .

Deklination des Possesivartikels

	SINGULAR			PLURAL
Nominativ	mein	meine	mein	meine
Genitiv	meines	meiner	meines	meiner
Dativ	meinem	meiner	meinem	meinen
Akkusativ	meinen	meine	mein	meine

	SINGULAR			PLURAL
Nominativ	dein	deine	dein	deine
Genitiv	deines	deiner	deines	deiner
Dativ	deinem	deiner	deinem	deinen
Akkusativ	deinen	deine	dein	deine

	SINGULAR			PLURAL
Nominativ	sein	seine	sein	seine
Genitiv	seines	seiner	seines	seiner
Dativ	seinem	seiner	seinem	seinen
Akkusativ	seinen	seine	sein	seine

Weitere Deklinationsbeispiele für Possesivpronomen als Artikelwörter:

BESITZER	KASUS	SINGULAR			PLURAL
		MASKULIN	FEMININ	NEUTRUM	
ich	Nominativ	mein Hund	meine Katze	mein Kind	meine Söhne
	Genitiv	meines Hundes	meiner Katze	meines Kindes	meiner Söhne
	Dativ	meinem Hund	meiner Katze	meinem Kind	meinen Söhnen
	Akkusativ	meinen Hund	meine Katze	mein Kind	meine Söhne
du	Nominativ	dein Hund	deine Katze	mein Kind	meine Söhne
	Genitiv	deines Hundes	deiner Katze	meines Kindes	meiner Söhne
	Dativ	deinem Hund	deiner Katze	meinem Kind	meinen Söhnen
	Akkusativ	deinen Hund	deine Katze	mein Kind	meine Söhne
er / es	Nominativ	sein Hund	seine Katze	sein Kind	seine Söhne
	Genitiv	seines Hundes	seiner Katze	seines Kindes	seiner Söhne
	Dativ	seinem Hund	seiner Katze	seinem Kind	seinen Söhnen
	Akkusativ	seinen Hund	seine Katze	sein Kind	seine Söhne
wir	Nominativ	unser Hund	unsere Katze	unser Kind	unsere Söhne
	Genitiv	unseres Hundes	unserer Katze	unseres Kindes	unserer Söhne
	Dativ	unserem Hund	unserer Katze	unserem Kind	unseren Söhnen
	Akkusativ	unseren Hund	unsere Katze	unser Kind	unsere Söhne
ihr	Nominativ	euer Hund	euere Katze	euer Kind	euere Söhne
	Genitiv	eueres Hundes	euerer Katze	eueres Kindes	euerer Söhne
	Dativ	euerem Hund	euerer Katze	euerem Kind	eueren Söhnen
	Akkusativ	eueren Hund	euere Katze	euer Kind	euere Söhne
sie	Nominativ	ihr Hund	ihre Katze	ihr Kind	ihre Söhne
	Genitiv	ihres Hundes	ihrer Katze	ihres Kindes	ihrer Söhne
	Dativ	ihrem Hund	ihrer Katze	ihrem Kind	ihren Söhnen
	Akkusativ	ihren Hund	ihre Katze	ihr Kind	ihre Söhne

BESITZ

BEISPIELSÄTZE ZUM POSSESIVARTiKEL

1. Er schreibt an **seinen** Vater.

2. Sie schreibt **ihrem** Vater und **ihrer** Mutter einen Brief.

3. **Ihr** neuer Chef freut sich über **ihre** Arbeit.

4. Ich telefoniere jeden Tag mit **meiner** Schwester.

5. Ihr habt in **euerem** Schrank viele Kleider.

6. Wie heisst **ihr** Bruder?

7. Wie heisst **deine** Schwester?

8. Wo sind **unsere** Bücher?

9. Wo ist das Futter **meiner** Katze?

10. Das sind die Tassen **unserer** Eltern.

11. Das ist der Teller **deiner** Brüder.

12. Das sind **euere** Bücher.

13. Der Ring gehört **unserer** Schwester.

14. Die Uhr gehört **unserem** Bruder.

15. Das Geld gehört **deinem** Sohn.

16. Meine Mutter wohnt in **ihrem** Haus.

17. Dein Vater lebt nicht in **unserem** Dorf.

18. Meine Schwestern leben nicht in **unserer** Stadt.

19. Hussan hat nicht **seine** Tickets verloren.

20. Ich suche nicht **deinen** Ring.

21. Emil trinkt zum Frühstück **seinen** Kaffee.

22. Meine Schwester liebt **ihren** Freund.

DAS REFLEXIVPRONOMEN

Pronomen sind **Fürwörter (Stellvertreter)**, die ein bereits genanntes Substantiv oder einen vorangehenden Satz ersetzen. Es gibt verschiedene Gruppen von Pronomen, wie zum Beispiel:

Personalpronomen, Possessivpronomen, Reflexivpronomen, Demonstrativpronomen, Relativpronomen, Interrogativpronomen und Indefinitpronomen.

Das Reflexivpronomen bezieht sich immer auf das Subjekt des Satzes.

Ahmed, zieh **dich** endlich an!   Karin, zieh **dir** ein anderes Kleid an!

Reflexivpronomen   Reflexivpronomen

Beispiele:

1. Ich wasche **mich** jeden Morgen.
2. Du duschst **dich** einmal in der Woche.
3. Er kauft **sich** ein neues Auto.
4. Wir kaufen **uns** ein Haus.
5. Ihr wäscht **euch** dreimal am Tag die Hände.
6. Sie treffen **sich** mit ihren neuen Freunden.

DAS FRAGEPRONOMEN (WER,WAS)

Fragepronomen fragen nach bestimmten Informationen oder Sachverhalten und können **dekliniert** bzw. gebeugt werden.

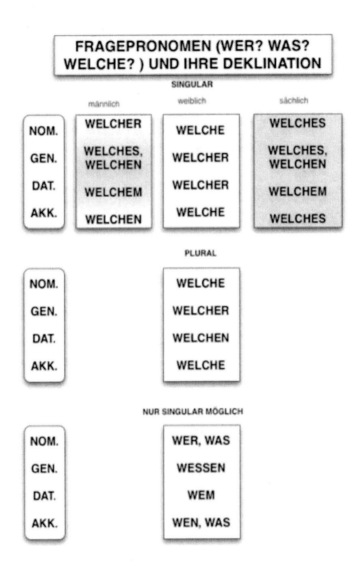

Was gibt es heute zum Mittagessen?　　　**Wer** hat gekocht?

Ich nehme gerne Gewürze.

Welches nehmen Sie?　　　**Wem** gehört das Handy?

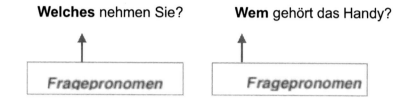

- **Fragepronomen** fragen nach bestimmten Informationen oder Sachverhalten und können **dekliniert** bzw. gebeugt werden.
- Ich habe Hunger. **Was** gibt es heute zum Mittagessen?
- **Wer** hat gekocht?
- Ich nehme gerne Gewürze. **Welches** nehmen Sie?
- Ich habe ein Handy gefunden. **Wem** gehört das Handy?

<u>Beispiele:</u>

1) Ich habe Eis gegessen.　　**Was**　hast du gegessen?

2) Ich habe Karl gesehen.　　**Wen**　hast du in der Stadt gesehen?

3) Ich will „Winnetou" sehen.　**Welchen** Film willst du im Kino anschauen?

4) Ich habe Skat gespielt.　　**Was** hast du gemacht?

5) Ich treffe Tina.　　　　　**Wen**　triffst du im Café Refugio?

6) Ich habe „Alibaba und die 40 Räuber " gelesen. **Welches** Buch hast du gelesen?

7) Ich möchte Otto sprechen.　**Wen** möchtest du sprechen?

8) Das ist meine Tasche.　　**Wessen** Tasche ist das?

9)　Nur zehn Spieler kommen zum Training.　**Wer** kommt nicht?

DAS RELATIVPRONOMEN

- **Relativpronomen** (= bezügliche Fürwörter) verwenden wir zur **Einleitung von Relativsätzen.**
- Relativsätze sind **Nebensätze.**
- Bei den Relativsätzen steht das **konjugierte Verb am Satzende.**
- Relativsätze stehen also **hinter dem Nomen** und beziehen sich in der Regel auf ein Nomen, das so genannte **Bezugswort**, und werden in der Regel direkt dahinter gestellt.
- Das **Bezugswort** gibt den **Numerus** (Singular oder Plural) und den **Genus** (maskulin, feminin, neutral an.
- Der **Kasus des Relativpronomens** ergibt sich aus den **Nebensatzinformationen:**

  - Steht das **Bezugswort** im Nebensatz im **Nominativ**, so steht auch das **Relativpronomen** im **Nominativ.**
  - Steht das **Bezugswort** im Nebensatz im **Akkusativ**, so steht auch das **Relativpronomen** im **Akkusativ.**
  - Steht das **Bezugswort** im Nebensatz im **Dativ**, so steht auch das **Relativpronomen** im **Dativ,** usw.

Das ist der Mann, **dem** das Haus gehört.   Das war Kurt, **der** angerufen hat.

Relativpronomen   Relativpronomen

Das ist der Trainer, über **den** gestern die Tagesschau berichtete.

Relativpronomen

Die Relativpronomen werden wie folgt dekliniert:

der / die / das

	Singular (Einzahl)		
	maskulin	feminin	neutral
Nominativ	der	die	das
Genitiv	dessen	deren	dessen
Dativ	dem	der	dem
Akkusativ	den	die	das

	Plural (Mehrzahl)		
	maskulin	feminin	neutral
Nominativ	die	die	die
Genitiv	deren	deren	deren
Dativ	denen	denen	denen
Akkusativ	die	die	die

Anmerkung:

- Neben den Relativpronomen „der, die, das" wird seltener auch „welcher, welche, welches" als Relativpronomen gebraucht.
- Aber: „welcher, welche, welches" gilt stilistisch als eine nicht so schöne Variante des Relativpronomens der, die, das.
- Wir finden „welcher, welche, welches" in der Verwendung als Relativpronomen, wenn das Relativpronomen „der, die, das" und der bestimmte Artikel gleich lauten und aufeinanderfolgen.
- Zum Beispiel:
  - Der Rock, der der Frau gut gefällt, hat eine schöne Farbe.
  - Der Rock, welcher der Frau gut gefällt, hat eine schöne Farbe.

Das Relativpronomen „welcher, welche, welches" wird folgendermaßen dekliniert.

welcher / welche / welches

	Singular (Einzahl)		
	maskulin	feminin	neutral
Nominativ	welcher	welche	welches
Genitiv	- - - -	- - - -	- - - -
Dativ	welchem	welcher	welchem
Akkusativ	welchen	welche	welches

	Plural (Mehrzahl)		
	maskulin	feminin	neutral
Nominativ	welche	welche	welche
Genitiv	- - - -	- - - -	- - - -
Dativ	welchen	welchen	welchen
Akkusativ	welche	welche	welche

Beispiele für Relativsätze:

1. Ist das die Frau, **die** du zu deinem Geburtstag eingeladen hast?
2. Ist das dein Freund, **den** du zu deinem Geburtstag eingeladen hast
3. Ist das dein Kind, **das** so laut schreit?
4. Wie heißt das Kino, **das** so bequeme Sessel hat?
5. Gestern habe ich einen Hund, **dessen** Besitzer in die Rehaklinik gekommen ist, bei mir aufgenommen.
6. Morgen werde ich den jungen Mann, mit **dem** ich zusammen im Urlaub war, besuchen.
7. Das Mädchen, **dessen** Freund im Krankenhaus liegt, ist gestern ebenfalls ins Krankenhaus gekommen.

DAS INDEFINITPRONOMEN

- Pronomen sind **FÜRWÖRTER**, die ein Nomen (= Substantiv, Dingwort, Hauptwort oder Namenwort) ersetzen.
- **Indefinitpronomen** sind <u>unbestimmte</u> Fürwörter.
- **Indefinitpronomen** werden substantivisch oder adjektivisch gebraucht.
- Die (meisten) Pronomen dienen als **Platzhalter** oder **Stellvertreter für ein Nomen**.
- Das **Subjekt** oder **Objekt** wird nicht näher bezeichnet.

<u>Beispiele für Indefinitpronomen:</u>

alle, allesamt, andere, beide, ein bisschen, ein wenig, ein paar, einer, einige, etliche, ein bisschen, ein wenig, ein paar, etwas, irgendetwas, irgendein, irgendwelche, irgendwas, irgendwer, jeder, jeglicher, jedermann, jemand, irgendjemand, kein, man, manch, mehrere, meinesgleichen, nichts, niemand, sämtlich, viel, welche, wenig, wenige, wer, was, solche...

- Einige Indefinitpronomen können dekliniert werden.
- **Nicht deklinierbar** sind zum Beispiel: **man, etwas, nichts**

<u>Deklination von keiner, keine, keines</u>:

	Singular (Einzahl)			Plural
	maskulin	feminin	neutral	(Mehrzahl)
Nominativ	(k)einer	(k)eine	(k)ein(e)s	keine
Genitiv	(k)eines	(k)einer	(k)eines	keiner
Dativ	(k)einem	(k)einer	(k)einem	keinen
Akkusativ	(k)einen	(k)eine	(k)ein(e)s	keine

EIN & KEIN

1. Hast du noch Futter für den Hund? Nein, ich habe **keins** mehr.

2. Ich brauche noch eine Kaffeetasse. Im Schrank steht noch **eine**.

3. Kann ich deinen Kugelschreiber haben?   Ich habe leider **keinen** bei mir.

4. Hast du eine Tasse Tee für mich. Ja, auf dem Esstisch steht **eine** .

5. Hast du ein Klavier? Nein, ich habe **keines** .

6. Hast du ein Buch. Ja, ich habe **eines** .

7. Hast du Bücher? Nein, ich habe **keine** .

8. Hast du einen Bleistift für mich? Nein, ich habe **keinen** .

9. Hast du noch ein Buch für mich? Ja, im Bücherregal steht **eines**.

10. Hast du meine Brille gesehen? Ja, auf dem Küchentisch liegt **eine**.

11. Hast du noch Konzertkarten bekommen? Nein, ich habe **keine** mehr bekommen.

12. Wer von euch hat das Fenster offen gelassen? **Keiner** will es wieder gewesen sein!

13. Meine Freundin verließ die Geburtstagsfeier schnell, denn sie kannte dort **keinen** .

VOLLVERBEN

In der deutschen Sprache verwenden wir verschiedene Verbarten.
Wir unterscheiden beispielsweise **Vollverben**, **Modalverben** und
Hilfsverben.
Es gibt insgesamt **5 Arten von Vollverben**:

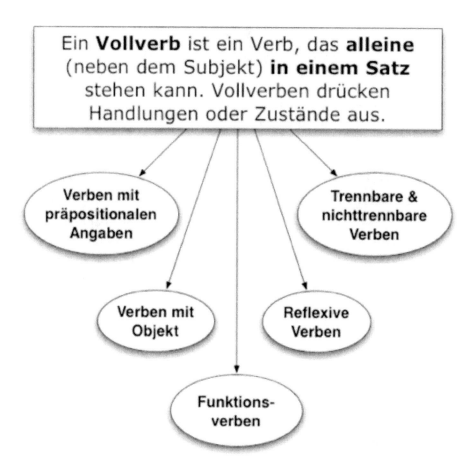

BEDEUTUNGSGRUPPEN DER VERBEN

Verben können eine **Handlung**, einen **Vorgang** (Prozess) oder einen **Zustand** ausdrücken. Verben sind konjugierbar und lassen sich in drei Bedeutungsgruppen einteilen:

Beispiele für Handlungsverben:

lernen, lieben, schreiben, lesen, spielen, fahren, essen, laufen, arbeiten, sich betrinken, einladen, helfen, lachen, sprechen, springen, tanzen,…

Beispiele für Vorgangsverben:

regnen, wachsen, brennen, blühen, erwachen, einschlafen, aufwachen, fallen, entdecken, verspüren, abkühlen…..

Beispiele für Zustandsverben:

liegen, sitzen, sein, bleiben, leben, liegen, stehen, wohnen…..

DIE KONJUGATION

- Ein Verb kann **4 Infinitive** haben:

1. **Infinitiv Präsens Aktiv**
   Der Infinitiv Präsens Aktiv ist die Grundform des Verbs.(lernen, lieben, laufen,....)

2. **Infinitiv Perfekt Aktiv**   Der
   Infinitiv Perfekt Aktiv wird mit dem Infinitiv (Präsens Aktiv) von *haben* bzw. *sein* und dem Partizip 2 gebildet. (gelernt haben, geliebt haben, gelaufen sein, ...)

3. **Infinitiv Präsens Passiv**
   Der Infinitiv Präsens Passiv wird mit dem Partizip 2 und dem Infinitiv (Präsens Aktiv) von *werden* gebildet.. (geliebt werden, gelernt werden, gemacht werden....)

4. **Infinitiv Perfekt Passiv**
   Den Infinitiv Perfekt Passiv bildet man aus dem Partizip 2, *worden* und dem Infinitiv (Präsens Aktiv) von *sein*. (geliebt worden sein, gelernt worden sei, gemacht worden sein...)

- Wenn wir ein Substantiv verändern, sprechen wir von der **Deklination**.
- Die Veränderung des Verbs heißt **Konjugation**.

Verben werden grundsätzlich kleingeschrieben! Ein Verb kann sich verändern in Bezug auf:

- **PERSON:**   1.Person, 2.Person, 3.Person
- **NUMERUS:**   Singular (= Einzahl) und Plural (= Mehrzahl)
- **TEMPUS:**   die grammatischen Zeiten (z.B. Präsens, Präteritum, Perfekt, Plusquamperfekt, Futur I, Futur II)
- **MODUS:**   Indikativ / Konjunktiv / Imperativ
- **AKTIV / PASSIV:** die Handlungsarten

BEISPIEL FÜR EINE KONJUGATION

Infinitiv Präsens Aktiv: **machen**

AKTIV

INDIKATIV

PRÄSENS	PRÄTERITUM	PERFEKT
ich mache	ich machte	ich habe gemacht
du machst	du machtest	du hast gemacht
er/sie/es macht	er/sie/es machte	er/sie/es hat gemacht
wir machen	wir machten	wir haben gemacht
ihr macht	ihr machtet	ihr habt gemacht
sie/Sie machen	sie/Sie machten	sie/Sie haben gemacht

PLUSQUAM-PERFEKT	FUTUR I	FUTUR II
ich hatte gemacht	ich werde machen	ich werde gemacht haben
du hattest gemacht	du wirst machen	du wirst gemacht haben
er/sie/es hatte gemacht	er/sie/es wird machen	er/sie/es wird gemacht haben
wir hatten gemacht	wir werden machen	wir werden gemacht haben
ihr hattet gemacht	ihr werdet machen	ihr werdet gemacht haben
sie/Sie hatten gemacht	sie/Sie werden machen	sie/Sie werden gemacht haben

PARTIZIP PRÄSENS: **machend**

PARTIZIP PERFEKT: **gemacht**

IMPERATIV:

mach(e)
macht
machen Sie

KONJUNKTIV I

PRÄSENS	PRÄTERITUM	FUTUR I	FUTUR II
ich mache	ich habe gemacht	ich werde machen	ich werde gemacht haben
du machest	du habest gemacht	du werdest machen	du werdest gemacht haben
er/sie/es mache	er/sie/es habe gemacht	er/sie/es werde machen	er/sie/es werde gemacht haben
wir machen	wir haben gemacht	wir werden machen	wir werden gemacht haben
ihr machet	ihr habet gemacht	ihr werdet machen	ihr werdet gemacht haben
sie/Sie machen	sie/Sie haben gemacht	sie/Sie werden machen	sie/Sie werden gemacht haben

KONJUNKTIV II

PRÄSENS	PRÄTERITUM	FUTUR I	FUTUR II
ich machte	ich hätte gemacht	ich würde machen	ich würde gemacht haben
du machtest	du hättest gemacht	du würdest machen	du würdest gemacht haben
er/sie/es machte	er/sie/es hätte gemacht	er/sie/es würde machen	er/sie/es würde gemacht haben
wir machten	wir hätten gemacht	wir würden machen	wir würden gemacht haben
ihr machtet	ihr hättet gemacht	ihr würdet machen	ihr würdet gemacht haben
sie/Sie machten	sie/Sie hätten gemacht	sie/Sie würden machen	sie/Sie würden gemacht haben

PASSIV

Infinitiv Präsens Passiv: gemacht werden

INDIKATIV

PRÄSENS	PRÄTERITUM	PERFEKT
ich werde gemacht	ich wurde gemacht	ich bin gemacht worden
du wirst gemacht	du wurdest gemacht	du bist gemacht worden
er/sie/es wird gemacht	er/sie/es wurde gemacht	er/sie/es ist gemacht worden
wir werden gemacht	wir wurden gemacht	wir sind gemacht worden
ihr werdet gemacht	ihr wurdet gemacht	ihr seid gemacht worden
sie/Sie werden gemacht	sie/Sie wurden gemacht	sie/Sie sind gemacht worden

PLUSQUAM-PERFEKT	FUTUR I
ich war gemacht worden	ich werde gemacht werden
du warst gemacht worden	du wirst gemacht werden
er/sie/es war gemacht worden	er/sie/es wird gemacht werden
wir waren gemacht worden	wir werden gemacht werden
ihr wart gemacht worden	ihr werdet gemacht werden
sie/Sie waren gemacht worden	sie/Sie werden gemacht werden

PARTIZIP PRÄSENS PASSIV: gemacht werden

PARTIZIP PERFEKT ASSIV: gemacht worden

IMPERATIV: - - -

KONJUNKTIV I

PRÄSENS	PERFEKT	FUTUR I
ich werde gemacht	ich sei gemacht worden	ich werde gemacht werden
du werdest gemacht	du seist gemacht worden	du werdest gemacht werden
er/sie/es werde gemacht	er/sie/es sei gemacht worden	er/sie/es werde gemacht werden
wir werden gemacht	wir seien gemacht worden	wir werden gemacht werden
ihr werdet gemacht	ihr seiet gemacht worden	ihr werdet gemacht werden
sie/Sie werden gemacht	sie/Sie seien gemacht worden	sie/Sie werden gemacht werden

KONJUNKTIV II

PRÄSENS	PLUSQUAMPERFEKT	FUTUR I
ich würde gemacht	ich wäre gemacht worden	ich würde gemacht werden
du würdest gemacht	du wärest gemacht worden	du würdest gemacht werden
er/sie/es würde gemacht	er/sie/es wäre gemacht worden	er/sie/es würde gemacht werden
wir würden gemacht	wir wären gemacht worden	wir würden gemacht werden
ihr würdet gemacht	ihr wäret gemacht worden	ihr würdet gemacht werden
sie/Sie würden gemacht	sie/Sie wären gemacht worden	sie/Sie würden gemacht werden

KONJUGATION UNREGELMÄßIGER VERBEN

- Im Deutschen gibt es etwa 200 unregelmäßige Verben. Viele davon gehören zu unserem Grundwortschatz.
- Die unregelmäßigen Verben heißen auch starke Verben.
- Bei den starken Verben wechselt in der Regel der Vokal in der 2. (= du) und in der 3.Person (=er/sie/es).

Beispiele für unregelmäßige Verben mit einem Vokalwechsel

brechen

	ich	du	er/sie/es	wir	ihr	sie
PRÄSENS	breche	brichst	bricht	brechen	brecht	brechen
Präteritum	brach	brachst	brach	brachen	bracht	brachen
Perfekt	habe ge-brochen	hast ge-brochen	hat ge-brochen	haben ge-brochen	habt ge-brochen	haben gebrochen
Plusquam-perfekt	hatte ge-brochen	hattest ge-brochen	hatte ge-brochen	hatten ge-brochen	hattet ge-brochen	hatten gebrochen
Futur I	werde brechen	wirst brechen	wird brechen	werden brechen	werdet brechen	werden brechen
Futur II	werde ge-brochen haben	wirst ge-brochen haben	wird ge-brochen haben	werden ge-brochen haben	werdet ge-brochen haben	werden gebrochen haben

gilt auch für:

abbrechen, erbrechen, zusammenbrechen, wegbrechen, zerbrechen, auseinanderbrechen, aufbrechen, herausbrechen, durchbrechen

fahren

	ich	du	er/sie/es	wir	ihr	sie
PRÄSENS	fahre	fährst	fährt	fahren	fahrt	fahren
Präteritum	fuhr	fuhrst	fuhr	fuhren	fuhrt	fuhren
Perfekt	bin ge-fahren	bist ge-fahren	ist gefahren	sind gefahren	seid gefahren	sind gefahren
Plusquam-perfekt	war ge-fahren	warst ge-fahren	war gefahren	waren gefahren	wart gefahren	waren gefahren
Futur I	werde fahren	wirst fahren	wird fahren	werden fahren	werdet fahren	werden fahren
Futur II	werde ge-fahren sein	wirst ge-fahren sein	wird gefahren sein	werden gefahren sein	werdet gefahren sein	werden gefahren sein

gilt auch für: abfahren, erfahren, zusammenfahren, wegfahren, auseinander fahren, herausfahren, durchfahren

geben

	ich	du	er/sie/es	wir	ihr	sie
PRÄSENS	gebe	gibst	gibt	geben	gebt	geben
Präteritum	gab	gabst	gab	gaben	gabt	gaben
Perfekt	habe gegeben	hast gegeben	hat gegeben	haben gegeben	habt gegeben	haben gegeben
Plusquam-perfekt	hatte gegeben	hattest gegeben	hatte gegeben	hatten gegeben	hattet gegeben	hatten gegeben
Futur I	werde geben	wirst geben	wird geben	werden geben	werdet geben	werden geben
Futur II	werde gegeben haben	wirst gegeben haben	wird gegeben haben	werden gegeben haben	werdet gegeben haben	werden gegeben haben

sehen

	ich	du	er/sie/ es	wir	ihr	sie
PRÄSENS	sehe	siehst	sieht	sehen	seht	sehen
Präteritum	sah	sahst	sah	sahen	saht	sahen
Perfekt	habe gesehen	hast gesehen	hat gesehen	haben gesehen	habt gesehen	haben gesehen
Plusquam perfekt	hatte gesehen	hattest gesehen	hatte gesehen	hatten gesehen	hattet gesehen	hatten gesehen
Futur I	werde sehen	wirst sehen	wird sehen	werden sehen	werdet sehen	werden sehen
Futur II	werde gesehen haben	wirst gesehen haben	wird gesehen haben	werden gesehen haben	werdet gesehen haben	werden gesehen haben

gilt auch für: aussehen, wegsehen, durchsehen,

lesen

	ich	du	er/sie/es	wir	ihr	sie
PRÄSENS	lese	liest	liest	lesen	lest	lesen
Präteritum	las	last oder lasest	las	lasen	last	lasen
Perfekt	habe gelesen	hast gelesen	hat gelesen	haben gelesen	habt gelesen	haben gelesen
Plusquam perfekt	hatte gelesen	hattest gelesen	hatte gelesen	hatten gelesen	hattet gelesen	hatten gelesen
Futur I	werde lesen	wirst lesen	wird lesen	werden lesen	werdet lesen	werden lesen
Futur II	werde gelesen haben	wirst gelesen haben	wird gelesen haben	werden gelesen haben	werdet gelesen haben	werden gelesen haben

gilt auch für: auslesen, vorlesen, durchlesen

KONJUGATION VON „WERDEN"

Das Verb „**werden**" ist ein **Hilfsverb**.
Das Verb „**werden**" wird mit dem Hilfsverb „**sein**" konjugiert.

PRÄSENS	PRÄTERITUM	PERFEKT
ich werde	ich wurde	ich bin geworden
du wirst	du wurdest	du bist geworden
er/sie/es wird	er/sie/es wurde	er/sie/es ist geworden
wir werden	wir wurden	wir sind geworden
ihr werdet	ihr wurdet	ihr seid geworden
sie/Sie werden	sie/Sie wurden	sie/Sie sind geworden

PLUSQUAM-PERFEKT	FUTUR I	FUTUR II
ich war geworden	ich werde werden	ich werde geworden sein
du warst geworden	du wirst werden	du wirst geworden sein
er/sie/es war geworden	er/sie/es wird werden	er/sie/es wird geworden sein
wir waren geworden	wir werden werden	wir werden geworden sein
ihr wart geworden	ihr werdet werden	ihr werdet geworden sein
sie/Sie waren geworden	sie/Sie werden werden	sie/Sie werden geworden sein

PARTIZIP PRÄSENS: werdend

PARTIZIP PERFEKT: geworden

KONJUGATION VON „SAGEN"

Das Verb sagen ist ein **regelmäßiges** Verb.

INDIKATIV

PRÄSENS	PRÄTERITUM	PERFEKT
ich sage	ich sagte	ich habe gesagt
du sagst	du sagtest	du hast gesagt
er/sie/es sagt	er/sie/es sagte	er/sie/es hat gesagt
wir sagen	wir sagten	wir haben gesagt
ihr sagt	ihr sagtet	ihr habt gesagt
sie/Sie sagen	sie/Sie sagten	sie/Sie haben gesagt

PLUSQUAM-PERFEKT	FUTUR I	FUTUR II
ich hatte gesagt	ich werde sagen	ich werde gesagt haben
du hattest gesagt	du wirst sagen	du wirst gesagt haben
er/sie/es hatte gesagt	er/sie/es wird sagen	er/sie/es wird gesagt haben
wir hatten gesagt	wir werden sagen	wir werden gesagt haben
ihr hattet gesagt	ihr werdet sagen	ihr werdet gesagt haben
sie/Sie hatten gesagt	sie/Sie werden sagen	sie/Sie werden gesagt haben

PARTIZIP PRÄSENS: sagend

PARTIZIP PERFEKT: gesagt

IMPERATIV:

sag(e)
sagt
sagen Sie

KONJUGATION VON „MACHEN"

INDIKATIV

PRÄSENS	*PRÄTERITUM*	*PERFEKT*
ich mache	ich machte	ich habe gemacht
du machst	du machtest	du hast gemacht
er/sie/es macht	er/sie/es machte	er/sie/es hat gemacht
wir machen	wir machten	wir haben gemacht
ihr macht	ihr machtet	ihr habt gemacht
sie/Sie machen	sie/Sie machten	sie/Sie haben gemacht

PLUSQUAM-PERFEKT	*FUTUR I*	*FUTUR II*
ich hatte gemacht	ich werde machen	ich werde gemacht haben
du hattest gemacht	du wirst machen	du wirst gemacht haben
er/sie/es hatte gemacht	er/sie/es wird machen	er/sie/es wird gemacht haben
wir hatten gemacht	wir werden machen	wir werden gemacht haben
ihr hattet gemacht	ihr werdet machen	ihr werdet gemacht haben
sie/Sie hatten gemacht	sie/Sie werden machen	sie/Sie werden gemacht haben

PARTIZIP PRÄSENS: machend

PARTIZIP PERFEKT: gemacht

IMPERATIV:

mach(e)
macht
machen Sie

KONJUGATION VON „KAUFEN"

Das Verb „kaufen" ist ein **regelmäßiges** Verb.

INDIKATIV

PRÄSENS	PRÄTERITUM	PERFEKT
ich kaufe	ich kaufte	ich habe gekauft
du kaufst	du kauftest	du hast gekauft
er/sie/es kauft	er/sie/es kaufte	er/sie/es hat gekauft
wir kaufen	wir kauften	wir haben gekauft
ihr kauft	ihr kauftet	ihr habt gekauft
sie/Sie kaufen	sie/Sie kauften	sie/Sie haben gekauft

PLUSQUAM-PERFEKT	FUTUR I	FUTUR II
ich hatte gekauft	ich werde kaufen	ich werde gekauft haben
du hattest gekauft	du wirst kaufen	du wirst gekauft haben
er/sie/es hatte gekauft	er/sie/es wird kaufen	er/sie/es wird gekauft haben
wir hatten gekauft	wir werden kaufen	wir werden gekauft haben
ihr hattet gekauft	ihr werdet kaufen	ihr werdet gekauft haben
sie/Sie hatten gekauft	sie/Sie werden kaufen	sie/Sie werden gekauft haben

PARTIZIP PRÄSENS: kaufend

PARTIZIP PERFEKT: gekauft

IMPERATIV:

kauf(e)
kauft
kaufen Sie

KONJUGATION VON „LAUFEN"

Das Verb „laufen" ist ein **starkes** Verb.

INDIKATIV

PRÄSENS	*PRÄTERITUM*	*PERFEKT*
ich laufe	ich lief	ich bin gelaufen
du läufst	du liefst	du bist gelaufen
er/sie/es läuft	er/sie/es lief	er/sie/es ist gelaufen
wir laufen	wir liefen	wir sind gelaufen
ihr lauft	ihr lieft	ihr seid gelaufen
sie/Sie laufen	sie/Sie liefen	sie/Sie sind gelaufen

PLUSQUAM-PERFEKT	*FUTUR I*	*FUTUR II*
ich war gelaufen	ich werde laufen	ich werde gelaufen sein
du warst gelaufen	du wirst laufen	du wirst gelaufen sein
er/sie/es war gelaufen	er/sie/es wird laufen	er/sie/es wird gelaufen sein
wir waren gelaufen	wir werden laufen	wir werden gelaufen sein
ihr wart gelaufen	ihr werdet laufen	ihr werdet gelaufen sein
sie/Sie waren gelaufen	sie/Sie werden laufen	sie/Sie werden gelaufen sein

PARTIZIP PRÄSENS: laufend

PARTIZIP PERFEKT: gelaufen

IMPERATIV:

lauf(e)
lauft
laufen Sie

KONJUGATION VON „KOMMEN"

INDIKATIV

PRÄSENS	PRÄTERITUM	PERFEKT
ich komme	ich kam	ich bin gekommen
du kommst	du kamst	du bist gekommen
er/sie/es kommt	er/sie/es kam	er/sie/es ist gekommen
wir kommen	wir kamen	wir sind gekommen
ihr kommt	ihr kamt	ihr seid gekommen
sie/Sie kommen	sie/Sie kamen	sie/Sie sind gekommen

PLUSQUAM-PERFEKT	FUTUR I	FUTUR II
ich war gekommen	ich werde kommen	ich werde gekommen sein
du warst gekommen	du wirst kommen	du wirst gekommen sein
er/sie/es war gekommen	er/sie/es wird kommen	er/sie/es wird gekommen sein
wir waren gekommen	wir werden kommen	wir werden gekommen sein
ihr wart gekommen	ihr werdet kommen	ihr werdet gekommen sein
sie/Sie waren gekommen	sie/Sie werden kommen	sie/Sie werden gekommen sein

PARTIZIP PRÄSENS: kommend

PARTIZIP PERFEKT: gekommen

IMPERATIV:

komm(e)
kommt
kommen Sie

KONJUGATION VON „SPRINGEN"

Das Verb „springen" ist ein **starkes** Verb.

INDIKATIV

PRÄSENS	*PRÄTERITUM*	*PERFEKT*
ich springe	ich sprang	ich bin gesprungen
du springst	du sprangst	du bist gesprungen
er/sie/es springt	er/sie/es sprang	er/sie/es ist gesprungen
wir springen	wir sprangen	wir sind gesprungen
ihr springt	ihr sprangt	ihr seid gesprungen
sie/Sie springen	sie/Sie sprangen	sie/Sie sind gesprungen

PLUSQUAM-PERFEKT	*FUTUR I*	*FUTUR II*
ich war gesprungen	ich werde springen	ich werde gesprungen sein
du warst gesprungen	du wirst springen	du wirst gesprungen sein
er/sie/es war gesprungen	er/sie/es wird springen	er/sie/es wird gesprungen sein
wir waren gesprungen	wir werden springen	wir werden gesprungen sein
ihr wart gesprungen	ihr werdet springen	ihr werdet gesprungen sein
sie/Sie waren gesprungen	sie/Sie werden springen	sie/Sie werden gesprungen sein

PARTIZIP PRÄSENS: springend

PARTIZIP PERFEKT: gesprungen

IMPERATIV:

spring(e)
springt
springen Sie

KONJUGATION VON „SPRECHEN"

Das Verb sprechen ist ein **starkes Verb**.

INDIKATIV

PRÄSENS	PRÄTERITUM	PERFEKT
ich spreche	ich sprach	ich habe gesprochen
du sprichst	du sprachst	du hast gesprochen
er/sie/es spricht	er/sie/es sprach	er/sie/es hat gesprochen
wir sprechen	wir sprachen	wir haben gesprochen
ihr sprecht	ihr spracht	ihr habt gesprochen
sie/Sie sprechen	sie/Sie sprachen	sie/Sie haben gesprochen

PLUSQUAM-PERFEKT	FUTUR I	FUTUR II
ich hatte gesprochen	ich werde sprechen	ich werde gesprochen haben
du hattest gesprochen	du wirst sprechen	du wirst gesprochen haben
er/sie/es hatte gesprochen	er/sie/es wird sprechen	er/sie/es wird gesprochen haben
wir hatten gesprochen	wir werden sprechen	wir werden gesprochen haben
ihr hattet gesprochen	ihr werdet sprechen	ihr werdet gesprochen haben
sie/Sie hatten gesprochen	sie/Sie werden sprechen	sie/Sie werden gesprochen haben

PARTIZIP PRÄSENS: sprechend

PARTIZIP PERFEKT: gesprochen

IMPERATIV:

sprich
sprecht
sprechen Sie

KONJUGATION VON „SICH FREUEN"

Das Verb „sich freuen" ist ein schwaches **Verb**.

INDIKATIV

PRÄSENS	*PRÄTERITUM*	*PERFEKT*
ich freue mich	ich freute mich	ich habe mich gefreut
du freust dich	du freutest dich	du hast dich gefreut
er/sie/es freut sich	er/sie/es freute sich	er/sie/es hat sich gefreut
wir freuen uns	wir freuten uns	wir haben uns gefreut
ihr freut euch	ihr freutet euch	ihr habt euch gefreut
sie/Sie freuen sich	sie/Sie freuten sich	sie/Sie haben sich gefreut

PLUSQUAM-PERFEKT	*FUTUR I*	*FUTUR II*
ich hatte mich gefreut	ich werde mich freuen	ich werde mich gefreut haben
du hattest dich gefreut	du wirst dich freuen	du wirst dich gefreut haben
er/sie/es hatte sich gefreut	er/sie/es wird sich freuen	er/sie/es wird sich gefreut haben
wir hatten uns gefreut	wir werden uns freuen	wir werden uns gefreut haben
ihr hattet euch gefreut	ihr werdet euch freuen	ihr werdet euch gefreut haben
sie/Sie hatten sich gefreut	sie/Sie werden sich freuen	sie/Sie werden sich gefreut haben

PARTIZIP PRÄSENS: sich freuend

PARTIZIP PERFEKT: gefreut

IMPERATIV:

freu(e) dich
freut euch
freuen Sie sich

Konjugation beliebter deutscher Verben

Infinitiv	Gegenwart	Vergangenheit	Zukunft
sein	ich bin	ich war	ich werde sein
	du bist	du warst	du wirst sein
	er/sie/es ist	er/sie/es war	er/sie/es wird sein
	wir sind	wir waren	wir werden sein
	ihr seid	ihr wart	ihr werdet sein
	sie/Sie sind	sie/Sie waren	sie/Sie werden sein
gehen	ich gehe	ich ging	ich werde gehen
	du gehst	du gingst	du wirst gehen
	er/sie/es geht	er/sie/es ging	er/sie/es wird gehen
	wir gehen	wir gingen	wir werden gehen
	ihr geht	ihr gingt	ihr werdet gehen
	sie/Sie gehen	sie/Sie gingen	sie/Sie werden gehen
haben	ich habe	ich hatte	ich werde haben
	du hast	du hattest	du wirst haben
	er/sie/es hat	er/sie/es hatte	er/sie/es wird haben
	wir haben	wir hatten	wir werden haben
	ihr habt	ihr hattet	ihr werdet haben
	sie/Sie haben	sie/Sie hatten	sie/Sie werden haben
lesen	ich lese	ich las	ich werde lesen
	du liest	du lasest	du wirst lesen
	er/sie/es liest	*du last*	er/sie/es wird lesen
	wir lesen	er/sie/es las	wir werden lesen
	ihr lest	wir lasen	ihr werdet lesen
	sie/Sie lesen	ihr last	sie/Sie werden lesen
		sie/Sie lasen	
werden	ich werde	ich wurde	ich werde werden
	du wirst	du wurdest	du wirst werden
	er/sie/es wird	er/sie/es wurde	er/sie/es wird werden
	wir werden	wir wurden	wir werden werden
	ihr werdet	ihr wurdet	ihr werdet werden
	sie/Sie werden	sie/Sie wurden	sie/Sie werden werden
sehen	ich sehe	ich sah	ich werde sehen
	du siehst	du sahst	du wirst sehen
	er/sie/es sieht	er/sie/es sah	er/sie/es wird sehen
	wir sehen	wir sahen	wir werden sehen
	ihr seht	ihr saht	ihr werdet sehen
	sie/Sie sehen	sie/Sie sahen	sie/Sie werden sehen

	Präsens	Präteritum	Futur
machen	ich mache	ich machte	ich werde machen
	du machst	du machtest	du wirst machen
	er/sie/es macht	er/sie/es machte	er/sie/es wird machen
	wir machen	wir machten	wir werden machen
	ihr macht	ihr machtet	ihr werdet machen
	sie/Sie machen	sie/Sie machten	sie/Sie werden machen
fahren	*ich fahre*	ich fuhr	ich werde fahren
	du fährst	du fuhrst	du wirst fahren
	er/sie/es fährt	er/sie/es fuhr	er/sie/es wird fahren
	wir fahren	wir fuhren	wir werden fahren
	ihr fahrt	ihr fuhrt	ihr werdet fahren
	sie/Sie fahren	sie/Sie fuhren	sie/Sie werden fahren
wissen	ich weiß	ich wusste	ich werde wissen
	du weißt	*ich wußte*	du wirst wissen
	er/sie/es weiß	du wusstest	er/sie/es wird wissen
	wir wissen	*du wußtest*	wir werden wissen
	ihr wisst	er/sie/es wusste	ihr werdet wissen
	ihr wißt	*er/sie/es wußte*	sie/Sie werden wissen
	sie/Sie wissen	wir wussten	
		wir wußten	
		ihr wusstet	
		ihr wußtet	
		sie/Sie wussten	
		sie/Sie wußten	
geben	ich gebe	ich gab	ich werde geben
	du gibst	du gabst	du wirst geben
	er/sie/es gibt	er/sie/es gab	er/sie/es wird geben
	wir geben	wir gaben	wir werden geben
	ihr gebt	ihr gabt	ihr werdet geben
	sie/Sie geben	sie/Sie gaben	sie/Sie werden geben
schlafen	ich schlafe	ich schlief	ich werde schlafen
	du schläfst	du schliefst	du wirst schlafen
	er/sie/es schläft	er/sie/es schlief	er/sie/es wird schlafen
	wir schlafen	wir schliefen	wir werden schlafen
	ihr schlaft	ihr schlieft	ihr werdet schlafen
	sie/Sie schlafen	sie/Sie schliefen	sie/Sie werden schlafen
stehen	ich stehe	ich stand	ich werde stehen
	du stehst	du standst	du wirst stehen
	er/sie/es steht	*du standest*	er/sie/es wird stehen
	wir stehen	er/sie/es stand	wir werden stehen
	ihr steht	wir standen	ihr werdet stehen
	sie/Sie stehen	ihr standet	sie/Sie werden stehen
		sie/Sie standen	

wollen	ich will	ich wollte	ich werde wollen
	du willst	du wolltest	du wirst wollen
	er/sie/es will	er/sie/es wollte	er/sie/es wird wollen
	wir wollen	wir wollten	wir werden wollen
	ihr wollt	ihr wolltet	ihr werdet wollen
	sie/Sie wollen	sie/Sie wollten	sie/Sie werden wollen

treffen	ich treffe	ich traf	ich werde treffen
	du triffst	du trafst	du wirst treffen
	er/sie/es trifft	er/sie/es traf	er/sie/es wird treffen
	wir treffen	wir trafen	wir werden treffen
	ihr trefft	ihr traft	ihr werdet treffen
	sie/Sie treffen	sie/Sie trafen	sie/Sie werden treffen

halten	ich halte	ich hielt	ich werde halten
	du hältst	du hieltst	du wirst halten
	er/sie/es hält	er/sie/es hielt	er/sie/es wird halten
	wir halten	wir hielten	wir werden halten
	ihr haltet	ihr hieltet	ihr werdet halten
	sie/Sie halten	sie/Sie hielten	sie/Sie werden halten

nehmen	ich nehme	ich nahm	ich werde nehmen
	du nimmst	du nahmst	du wirst nehmen
	er/sie/es nimmt	er/sie/es nahm	er/sie/es wird nehmen
	wir nehmen	wir nahmen	wir werden nehmen
	ihr nehmt	ihr nahmt	ihr werdet nehmen
	sie/Sie nehmen	sie/Sie nahmen	sie/Sie werden nehmen

lassen	ich lasse	ich ließ	ich werde lassen
	du lässt	du ließest	du wirst lassen
	du läßt	*du ließt*	er/sie/es wird lassen
	er/sie/es lässt	er/sie/es ließ	wir werden lassen
	er/sie/es läßt	wir ließen	ihr werdet lassen
	wir lassen	ihr ließt	sie/Sie werden lassen
	ihr lasst	sie/Sie ließen	
	ihr laßt		
	sie/Sie lassen		

DER IMPERATIV

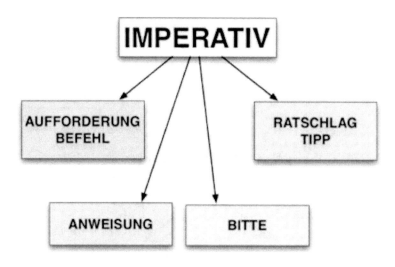

Beispiele:

a) Geh fort! (Verschwinde! Hau ab!)
Sei ruhig! (Halt die Klappe!) Lass mich in Ruhe!
Geh einkaufen! Hol´mal was vom Supermarkt!
Koch was Gutes! Lass mich nicht verhungern und verdursten!

b) Frag nochmal deine Schwester!
Bitte deine Chef um Sonderurlaub!
Frag doch deine Lehrerin!

c) Schalten Sie nach Gebrauch ihre Kaffeemaschine aus!
Zeigen Sie mir ihren Ausweis!
Kommen Sie in 14 Tagen wieder zur Ausländerbehörde!
Bringen Sie zu ihrer Bewerbung ihre Arbeitspapiere mit!
Halten Sie die Hauseingangstür immer geschlossen!
Unterschreiben Sie bitte hier!

d) Fahren Sie mich bitte zum Bahnhof!
Fahre bitte nicht so schnell!
Schnallen Sie sich bitte an!

PARTIZIP 1 (PARTIZIP PRÄSENS)

Man unterscheidet das Partizip Präsens (Partizip 1) und das Partizip Perfekt (Partizip 2).

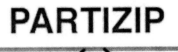

PARTIZIP

PARTIZIP 1	**PARTIZIP 2**
=	=
PARTIZIP PRÄSENS	**PARTIZIP PERFEKT**

Das Partizip Präsens bildet man aus dem Infintiv und d.
Zum Beispiel:
spielend, lernend, wartend, suchend, ...

Das Partizip Präsens bezeichnet einen Vorgang, der gleichzeitig mit einer anderen Handlung abläuft.
Das Partizip Präsens hat immer eine Aktiv-Bedeutung.

Das Partizip Perfekt bildet man aus dem Partizip des Verbs.
Zum Beispiel:
gespielt, gelernt, gewartet, gesucht .....

Das Partizip Perfekt hat meistens Passiv-Bedeutung.
In der Regel bezeichnet das Partizip Perfekt einen vorzeitigen (selten auch gleichzeitigen) Vorgang.

Anmerkungen:

- Steht das Partizip Präsens in Verbindung zu einem Verb, so bleibt es **unverändert**.
- Steht das Partizip Präsens in Verbindung zu einem Substantiv, wird es **dekliniert**.

Man benötigt das Partizip Perfekt zur Bildung des **Perfekts**, des **Plusquamperfekts, des Passivs** und des **Futurs II**.

Beispielsätze zum Partizip Präsens:

1. Der **bellende** Hund lief auf mich zu.
2. Der Hund lief **bellend** auf mich zu.
3. Das **schreiende** Baby war kaum zu beruhigen.
4. Das Baby liegt **schreiend** in seinem Kettchen.
5. Der Clown kam **lachend** auf die Bühne.
6. Der **lachende** Clown brachte mich auch zum Lachen.
7. Die **tobenden** Fußballfans beschimpfen den Schiedsrichter.
8. Die Fußballfans verlassen **schimpfend** das Stadion.
9. Das Verkaufsangebot war **verlockend**.
10. Das **verlockende** Angebot verführte mich zum Kauf.
11. Es ist verboten, Müll aus einem **fahrenden** Auto zu werfen.
12. Ein **fahrendes** Auto ist ein Auto das fährt; ein **stehendes** Auto ist ein Auto das steht!
13. Mein Schmerzen **verursachendes** Gelenk habe ich gestern beim Facharzt untersuchen lassen.
14. Der Alkohol **trinkende** Mann an der Bar fällt gleich vom Barhocker.
15. Die laufend **steigenden** Mieten belasten mein Budget.
16. Die **dauernden** Lärmbelästigungen durch die startenden und landenden Flugzeuge machen mich krank!
17. Die **mangelnden** Deutschkenntnisse vieler Jugendlichen führen zu schlechten Schulzeugnissen.
18. Die **wachsende** Unzufriedenheit der Bevölkerung spürt auch die Bundeskanzlerin.
19. Die **fehlenden** Parkplätze in der Innenstadt nerven mich gewaltig.

20. Die Kosten **senkenden** Maßnahmen führten nicht zu dem erhofften Ergebnis.

21. Die zum ICE **eilenden** Passagiere rennen sich fast über den Haufen.

22. Der langsam **einfahrende** Zug hält exakt an der richtigen Stelle an.

23. Die am Bahnsteig **wartenden** Zugreisenden können bequem in den Zug einsteigen.

24. Die **einsteigenden** Zugreisenden drängeln sich in die Zugabteile.

25. Die sich **verspätende** U-Bahn kommt endlich.

26. Meine nicht **funktionierende** EC-Karte ärgert mich ständig.

27. Der Autofahrer wurde von einem **kontrollierenden** Polizisten gestoppt.

28. Ein **abschliessendes** Urteil wird der Richter erst in drei Wochen verkünden.

29. Der stark **zunehmende** Autoverkehr vor meinem Haus beunruhigt mich.

30. Die schnell **fahrenden** Autos in meiner Straße stellen die Fußgänger vor **wachsende** Probleme.

31. Die älter **werdende** Bevölkerung überwiegt in ein paar Jahren die **arbeitende** Bevölkerung.

32. Die **fernsehschauende** Mutter kümmert sich nicht um ihr **hungerndes** Kind.

33. Der schwer **arbeitende** Vater kommt spät nach Hause.

34. Der **forschende** Wissenschaftler machte letzte Woche eine **bahnbrechende** Entdeckung.

TRENNBARE & NICHTTRENNBARE VERBEN

In der deutschen Sprache kann man durch einen sogenannten Verbzusatz (Präfix bzw. Vorsilbe) vielen Verben eine völlig neue Bedeutung geben.

Wir unterscheiden zwischen Verben mit **trennbaren Präfixen** und **nicht trennbaren Präfixen**.

PRÄFIXE

TRENNBARE PRÄFIXE

ab-, an-, auf-, aus-, bei-, ein-, los-, mit-, nach-, her-, hin-, vor-, weg-, zu-, zurück-

NICHT TRENNBARE PRÄFIXE

be-, emp-, ent-, er-, ge-, miss-, ver-, zer-

TRENNBAR & NICHT TRENNBARE PRÄFIXE

Verben mit folgenden Präfixen können sowohl trennbar als auch nicht trennbar sein:

durch-, hinter-, über-, um-, unter-

Bei trennbaren Verben wird <u>das Präfix betont</u>, bei nicht trennbaren Verben liegt die Betonung auf der Silbe hinter dem Präfix.

Zum Beispiel: **weg**-laufen: Ich laufe weg. (trennbares Verb!)

sich ver-**laufen**: Ich verlaufe mich. (nicht trennbares Verb)

los-laufen: Ich laufe los. (trennbares Verb)

ent-laufen: Mein Hund ist entlaufen. (nicht trennbares Verb)

Bei einem Verb kann sich - je nach Betonung- auch die Bedeutung ändern:

Beispiel: **um** - fahren: Der Radfahrer fährt den Fussgänger um.

um - **fahren**: Der Radfahrer umfährt den Fussgänger.

VERBEN MIT DEM PRÄFIX „AB"

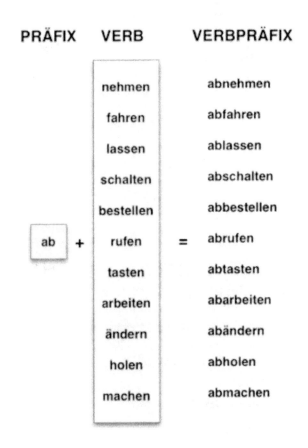

PRÄFIX	VERB		VERBPRÄFIX
	nehmen		abnehmen
	fahren		abfahren
	lassen		ablassen
	schalten		abschalten
	bestellen		abbestellen
ab +	rufen	=	abrufen
	tasten		abtasten
	arbeiten		abarbeiten
	ändern		abändern
	holen		abholen
	machen		abmachen

- Es gibt **trennbare** und **nichttrennbare Präfixe** (Vorsilben).
- Die Regel lautet: Wenn das Präfix <u>betont</u> wird, ist es <u>trennbar</u>, wenn es <u>nicht</u> betont wird, ist es <u>nicht</u> trennbar.
- Das Präfix „**ab**" bildet trennbare Verben. Es ist ein sehr häufig vorkommendes Verbpräfix.
- Bei trennbaren Verben schiebt sich in der Regel beim Partizip Perfekt   das „**ge**" zwischen Präfix und Verb.

<u>**Beispiele:**</u>

1. Wenn ich nach Hause komme, **nehme** ich zuerst meinen Hut **ab** .
2. Vor zwei Wochen **habe** ich das Bild von der Wand **abgenommen** .
3. Wann **fährt** der nächste Zug nach Bremen **ab**.
4. Als sie am Bahnhof ankamen, war der Zug schon **abgefahren**.
5. Mein Nachbar hat nun endlich seinen Müll und Bauschutt **abholen** lassen.
6. Dein Gedanken-Karussell dreht sich ständig und du kannst überhaupt nicht mehr **abschalten** .
7. Das Atomkraftwerk soll in Kürze **abgeschaltet** werden.
8. Der Vortrag war so langweilig, dass die meisten Zuhörer bereits nach 30 Minuten **abgeschaltet** haben.
9. Schalte bitte die Kaffeemaschine **ab**.
10. Nächsten Monat werde ich mein Zeitschriftenabonnement **abbestellen**.
11. Mein Scanner tastet sehr schnell jedes Schriftstück **ab**.
12. Mein Scanner kann pro Minute 20 Seiten _____ .
13. Zum Lesen nutzen Blinde den Tastsinn der Finger. Sie tasten dabei die Punkte der Blindenschrift **ab** .
14. Die Schneiderin wird morgen meine Hose **abändern**. .
15. Heute werde ich meine Tochter vom Flughafen **abholen** .
16. Der Pressesprecher hat heute morgen die Pressekonferenz **abgeblasen**.
17. Der leitende Angestellte wurde von einer anderen Firma **abgeworben**.

„SAGEN" + PRÄFIXE

Das Verb „SAGEN" gibt es in vielen unterschiedlichen Bedeutungen.

aussagen, absagen, einsagen, zusagen, nachsagen, untersagen, voraussagen, vorhersagen, vorsagen, versagen, ansagen, durchsagen, lossagen, aufsagen, entsagen

---

Beispiele:

1) Der Schüler **sagt** seinem Banknachbar **vor**.

2) Gestern habe ich meinen Arzttermin **absagen** müssen.

3) Für heute Nacht hat der Wetterbericht starken Sturm **vorhergesagt**.

4) Man soll Toten nur Gutes und nichts Böses **nachsagen**.

5) Das Betreten des Kinderspielplatzes ist für Erwachsene **untersagt**.

6) Nach einer langen Therapie hatte sich Hans endlich von seiner Alkoholsucht **losgesagt**.

7) Gestern hat mir meine Chefin zum Ende meiner Probezeit eine Festanstellung **zugesagt**.

8) Die Schüler kamen pünktlich zum Unterricht zurück, weil sie sich vom Lehrer nichts Schlechtes **nachsagen** wollten.

9) Seit vielen Jahrhunderten haben katholische Priester aufgrund des Zölibats der Ehe **versagt**.

10) Vor Beginn des Spiels wurde im Stadionlautsprecher die Mannschaftsaufstellung **durchgesagt**.

11) Sarah hat sich nach zweijähriger Ehe von ihrem Mann **losgesagt**.

12) Die Schüler werden morgen ihre Gedichte **aufsagen**.

13) Hiermit **sage** ich dir für deine Geburtstagsfeier **zu**.

„GEHEN" UND SEINE PRÄFIXE

Das Verb „GEHEN" gibt es in vielen unterschiedlichen Bedeutungen.

abgehen, weggehen, fortgehen, hinausgehen,rausgehen, losgehen, vorübergehen, vorbeigehen, zurückgehen, vergehen, entgehen, zergehen, angehen, ausgehen, aufgehen, entgegengehen, eingehen, umgehen, zugehen

---

Beispiele:

1) Wie **geht** es dir? Danke. Mir **geht´s** gut!

2) Ahmed **geht** seinen eigenen Weg.

3) Die Kinder **sind** vorsichtig über die Straße **gegangen**.

4) Meine Schmerzen **sind** bald wieder **weggangen**.

5) Wir sind den ganzen Weg wieder **zurückgegangen**.

6) Dem aufmerksamen Wachmann **entgeht** nichts.

7) Wohin **geht** diese Tür?

8) Vor einer Woche **gingen** die Ferien **zu Ende**.

9) Du sollst den Hefeteig vor dem Backen **gehen** lassen.

10) In meine Kaffeekanne **gehen** genau 6 Tassen Kaffee.

11) Heute **geht** ein kalter Wind. Gestern **ging** auch schon ein kalter Wind.

12) Der Mond ist aufgegangen.

13) Wenn du von der Arbeit kommst, werde ich dir **entgegengehen**.

14) Gestern **sind** wir spät nach Hause **gegangen**.

15) Meine Kinder **gehen** noch in den Kindergarten.

16) Mein Bruder **geht** auf die Universität.

17) Meine Schwester **wird** nächste Woche ins Ausland **gehen**.

KONJUGATION DER VERBEN: GEHEN, RENNEN, LAUFEN, KOMMEN

Präsens
ich gehe
du gehst
er/sie/es geht
wir gehen
ihr geht
sie/Sie gehen

Präteritum
ich ging
du gingst
er/sie/es ging
wir gingen
ihr gingt
sie/Sie gingen

Futur I
ich werde gehen
du wirst gehen
er/sie/es wird gehen
wir werden gehen
ihr werdet gehen
sie/Sie werden gehen

Präsens
ich renne
du rennst
er/sie/es rennt
wir rennen
ihr rennt
sie/Sie rennen

Präteritum
ich rannte
du ranntest
er/sie/es rannte
wir rannten
ihr ranntet
sie/Sie rannten

Futur I
ich werde rennen
du wirst rennen
er/sie/es wird rennen
wir werden rennen
ihr werdet rennen
sie/Sie werden rennen

Präsens
ich laufe
du läufst
er/sie/es läuft
wir laufen
ihr lauft
sie/Sie laufen

Präteritum
ich lief
du liefst
er/sie/es lief
wir liefen
ihr lieft
sie/Sie liefen

Futur I
ich werde laufen
du wirst laufen
er/sie/es wird laufen
wir werden laufen
ihr werdet laufen
sie/Sie werden laufen

Präsens
ich komme
du kommst
er/sie/es kommt
wir kommen
ihr kommt
sie/Sie kommen

Präteritum
ich kam
du kamst
er/sie/es kam
wir kamen
ihr kamt
sie/Sie kamen

Futur I
ich werde kommen
du wirst kommen
er/sie/es wird kommen
wir werden kommen
ihr werdet kommen
sie/Sie werden kommen

VERBEN MIT FESTEN PRÄPOSITIONEN

- Es gibt z.B. viele **Verben** (fest zusammenhängende Begriffe), die fest mit einer **Präposition mit nachfolgendem Dativ oder Akkusativ** verbunden sind.

<u>Beispiele:</u>

Verben	Präposition	Kasus
abbeißen	von	Dativ
(sich) abgrenzen	von	Dativ
(sich) abhärten	gegen	Akkusativ
(sich) abheben	von	Dativ
(sich) anpassen	an	Dativ
(sich) anpassen	an	Akkusativ
(sich) bedanken	bei	Dativ
(sich) bedanken	für	Akkusativ
(sich) befreien	von	Dativ
(sich) beklagen	bei	Dativ
(sich) beklagen	über	Akkusativ
(sich) beschäftigen	mit	Dativ
(sich) beschweren	bei	Dativ
(sich) beschweren	über	Akkusativ
(sich) bewerben	um	Akkusativ
(sich) durchsetzen	mit	Akkusativ
(sich) einigen	mit	Dativ
(sich) einigen	auf	Akkusativ
(sich) einmischen	in	Akkusativ
(sich) empören	über	Akkusativ
(sich) entschuldigen	bei	Dativ
(sich) entschuldigen	für	Akkusativ
(sich) erinnern	an	Dativ
(sich) erkundigen	bei	Dativ
(sich) erkundigen	nach	Dativ
(sich) freuen	auf	Akkusativ

(sich) freuen	über	Akkusativ
(sich) fürchten	vor	Dativ
(sich) gewöhnen	an	Akkusativ
(sich) handeln	um	Akkusativ
(sich) informieren	aus	Dativ
(sich) informieren	über	Akkusativ
(sich) interessieren	für	Akkusativ
(sich) konzentrieren	auf	Akkusativ
(sich) kümmern	um	Akkusativ
(sich) legen	in	Akkusativ
(sich) orientieren	über	Akkusativ
(sich) rächen	an	Dativ
(sich) schützen	vor	Dativ
(sich) sehnen	nach	Dativ
(sich) setzen	auf	Akkusativ
(sich) sorgen	um	Akkusativ
(sich) sorgen	für	Akkusativ
(sich) streiten	mit	Dativ
(sich) unterhalten	mit	Dativ
(sich) unterhalten	über	Akkusativ
(sich) verabreden	mit	Dativ
(sich) verlassen	auf	Akkusativ
(sich) verlieben	in	Dativ
(sich) verlieben	in	Akkusativ
(sich) verstehen	mit	Dativ
(sich) vorbereiten	auf	Akkusativ
(sich) vorsehen	vor	Dativ
(sich) wundern	über	Akkusativ
abbringen	von	Dativ
abbuchen	von	Dativ
abfahren	von	Dativ
abfinden	mit	Dativ
abhängen	von	Dativ
abtreten	an	Akkusativ

abtreten	von	Dativ
achten	auf	Akkusativ
anfangen	mit	Dativ
anknüpfen	an	Akkusativ
ankommen	auf	Akkusativ
antreffen	bei	Dativ
befreien	aus	Dativ
beginnen	mit	Dativ
belohnen	mit	Dativ
belohnen	für	Akkusativ
beratschlagen	über	Akkusativ
berichten	über	Akkusativ
berichten	von	Dativ
betteln	um	Akkusativ
beurteilen	nach	Akkusativ
bezahlen	mit	Dativ
bezahlen	für	Akkusativ
bitten	um	Akkusativ
buchen	bei	Dativ
buchen	für	Akkusativ
bürgen	für	Akkusativ
büßen	für	Akkusativ
danken	für	Akkusativ
drücken	auf	Akkusativ
eindringen	in	Akkusativ
eingeben	in	Akkusativ
einordnen	in	Akkusativ
einschüchtern	mit	Dativ
einsteigen	in	Akkusativ
eintreten	in	Akkusativ
entkommen	aus	Dativ
entlassen	aus	Dativ
erkennen	an	Dativ
festbinden	an	Dativ

finden	bei	Dativ
fließen	durch	Akkusativ
fordern	von	Dativ
forschen	nach	Dativ
fragen	nach	Dativ
garantieren	für	Akkusativ
geheimhalten	vor	Dativ
gehen	zu	Dativ
gehen	nach	Akkusativ
gehen	um	Akkusativ
gehören	zu	Dativ
gelangen	zu	Dativ
geraten	in	Akkusativ
geraten	unter	Akkusativ
glauben	an	Akkusativ
gratulieren	zu	Dativ
greifen	nach	Dativ
halten	von	Dativ
halten	für	Akkusativ
hängen	an	Dativ
helfen	bei	Dativ
hereinfallen	auf	Akkusativ
herrschen	über	Akkusativ
herunterfallen	von	Dativ
hervorbrechen	aus	Dativ
hinaufblicken	zu	Dativ
hinfinden	zu	Dativ
hoffen	auf	Akkusativ
kämpfen	mit	Dativ
kämpfen	gegen	Akkusativ
kämpfen	für	Akkusativ
klettern	auf	Akkusativ
klettern	über	Akkusativ
lachen	über	Akkusativ

leben	von	Dativ
leben	für	Akkusativ
leiden	an	Dativ
leiden	unter	Dativ
liegen	an	Dativ
mangeln	an	Dativ
mitwirken	an	Dativ
mitwirken	bei	Dativ
nachdenken	über	Akkusativ
ordnen	nach	Dativ
plaudern	mit	Dativ
plaudern	über	Akkusativ
protestieren	gegen	Akkusativ
prüfen	in	Dativ
prüfen	auf	Akkusativ
raten	zu	Dativ
rechnen	mit	Dativ
rechnen	auf	Akkusativ
reden	mit	Dativ
reden über	über	Akkusativ
reinigen	mit	Dativ
reinigen	von	Dativ
richten	an	Akkusativ
riechen	nach	Akkusativ
sagen	von	Dativ
sagen	über	Akkusativ
schicken	an	Dativ
schießen	auf	Dativ
schimpfen	auf	Dativ
schneiden	mit	Dativ
schneiden	in	Akkusativ
schreiben	an	Dativ
schreiben	von	Dativ
schreiben	über	Akkusativ

schweigen	zu	Dativ
sich ärgern	über	Akkusativ
sich bemühen	um	Akkusativ
sich irren	in	Dativ
sich rächen	für	Akkusativ
sich streiten	um	Akkusativ
sich vertiefen	in	Akkusativ
sprechen	mit	Dativ
sprechen	von	Dativ
sprechen	über	Akkusativ
staunen	über	Akkusativ
sterben	an	Dativ
sterben	für	Akkusativ
streben	nach	Dativ
teilnehmen	an	Dativ
träumen	von	Dativ
überreden	zu	Dativ
überzeugen	von	Dativ
umrechnen	in	Akkusativ
verdienen	an	Dativ
vergleichen	mit	Dativ
vertrauen	auf	Akkusativ
verzichten	auf	Akkusativ
warnen	vor	Dativ
warten	auf	Akkusativ
werben	für	Dativ
werben	um	Dativ
zu tun haben	mit	Dativ
zugehen	auf	Akkusativ
zurückblicken	auf	Akkusativ
zurücktreten	von	Dativ
zusammenstoßen	mit	Dativ
zutreffen	auf	Akkusativ
zweifeln	an	Dativ

Beispielsätze:

1. Warum **achtest** du nicht **auf** eine gesunde Ernährung?
2. Die Schülerin **antwortete auf** die Fragen ihres Lehrers.
3. Wer **passt auf** meinen Hund auf?
4. Wir **denken** oft **an** Alina.
5. Kennst du den Song: „Er **gehört zu** mir, wie mein Name an der Tür ….." ?
6. Er **denkt** nur noch **an** seine Freundin.
7. Er **erkannte** sie b ihrer Stimme.
8. Wer hat dich denn **nach** deine Meinung **gefragt**?
9. Wir **glauben an** ein Leben nach dem Tod.
10. Ihr **interessiert** euch **für** die deutsche Sprache.
11. Wir **sorgen** uns **um** unsere Zukunft.
12. Du **suchst nach** einer geeigneten Wohnung.
13. Was **wissen** wir **über** die Nachbarn?
14. Warum **zweifelst** du **an** mir?
15. Ich **rechne** 50 Euro in amerikanische Dollar **um**.
16. Ich habe einen Termin **mit** meinem Hausarzt **vereinbart**.
17. Jeder **hält** dich **für** einen Alkoholiker.
18. Der Arzt **forscht nach** Bakterien im Urin des Patienten.
19. Wem **fehlt** es nicht **an** Geld?
20. Ich **entnehme** 5 Euro **aus** meinem Geldbeutel.
21. Ich **hänge an** meinen Kindern.
22. Das Essen in der Kantine **schmeckt nach** nichts!
23. Wir **warten** schon sehr lange **auf** die U-Bahn.
24. Unsere Nationalmannschaft **hofft auf** einen Sieg.
25. Morgen werde ich einen Brief **an** meine Eltern **schreiben**.
26. Deine blaue Hose **passt** nicht **zu** deinem grünen Hemd.
27. Wie **bereitest** du dich **auf** deine Deutschprüfung vor?
28. Meine Mitbewohner **stören** mich ständig **beim** Lernen.
29. Die Ausländerbehörde hat noch nicht **auf** meinen Antrag **geantwortet**.

30. Viele Frauen **geben** oft viel Geld **für** Schuhe **aus**.

31. Ich **bedanke** mich bei meinem Chef **für** das Geldgeschenk.

32. Gestern **bewarb** ich mich **um** eine Arbeitsstelle bei der Stadtverwaltung.

33. Die Zeitung **berichtet** jeden Tag **über** die Europameisterschaft.

34. Mein Ehering **besteht aus** Gold.

35. Das Verkehrsschild **warnt** uns **vor** Straßenglätte.

36. Mohammed **denkt an** seine Familie.

37. Daham **bewirbt sich um** eine Stelle als Fahrer.

38. Er **bewirbt sich bei** einer Speditionsfirma.

39. Meine Oma **erkundigt** sich oft **nach** meinem Studium.

40. Wir **freuen** uns alle **auf** Weihnachten.

41. Der Freistaat Bayern **gehört zur** Bundesrepublik Deutschland.

FUNKTIONSVERBEN

Verben, die zusammen mit einem Substantiv (als Akkusativ- oder Präpositionalobjekt) das Prädikat bilden, heißen Funktionsverben.
Hier sind einige Beispiele für solche Funktionsverben:

SUBSTANTIV	FUNKTIONSVERB
Abmachung	eine Abmachung treffen
Absage	eine Absage erteilen
Abschied	Abschied nehmen von
Abstand	Abstand nehmen von
Acht	sich in Acht nehmen vor
Anerkennung	Anerkennung finden
Anfang	einen/den Anfang machen
Anklage	unter Anklage stehen
Anordnung	eine Anordnung treffen
Abstand	Abstand nehmen von
Abmachung	eine Abmachung treffen
Absage	eine Absage erteilen
Abschied	Abschied nehmen von
Abstand	Abstand nehmen von
Acht	sich in Acht nehmen vor
Anschauung	zu der Anschauung gelangen
Ansicht	zu der Ansicht gelangen
Anspruch	Anspruch erheben auf
Anstoß	Anstoß erregen
Antrag	einen Antrag stellen
Antwort	eine Antwort erteilen

Anwendung	Anwendung finden
Antrag	einen Antrag stellen
Armut	in Armut (Not) geraten
Auge	im Auge haben
Ausdruck	zum Ausdruck bringen
Bau	im Bau befinden
Beachtung	Beachtung finden
Bedrängnis	in Bedrängnis geraten
Begriff	im Begriff sein
Beifall	Beifall finden
Beitrag	einen Beitrag leisten zu
Beobachtung	unter Beobachtung stehen
Beobachtung	Beobachtungen machen
Berechnungen	Berechnungen anstellen
Berücksichtigung	Berücksichtigung finden
Beschwerde	Beschwerde einlegen
Besitz	in Besitz nehmen
Betracht	in Betracht ziehen
Betrieb	in Betrieb nehmen
Bewegung	in Bewegung setzen
Beweis	unter Beweis stellen
Bezug	Bezug nehmen auf
Debatte	zur Debatte stehen
Diskussion	zur Diskussion stellen
Druck	Druck ausüben auf
Echo	ein breites Echo finden
Eid	einen Eid leisten

Einblick	Einblick haben / nehmen in
Einsatz	im Einsatz sein
Einsicht	zur Einsicht gelangen
Einwilligung	Einwilligung geben zu
Empfang	in Empfang nehmen
Ende	zu Ende bringen
Entschluss	einen/den Entschluss fassen
Erfahrung	in Erfahrung bringen
Erfüllung	in Erfüllung gehen
Erlaubnis	jm die Erlaubnis geben
Erstaunen	jn in Erstaunen versetzen
Erwägung	in Erwägung ziehen
Fahrt	in Fahrt kommen
Fähigkeit	die Fähigkeit besitzen
Flucht	die Flucht ergreifen
Folge	jm Folge leisten
Forderung	eine Forderung erheben / stellen
Frage	jm eine Frage stellen
Frage	in Frage stellen
Frage	außer Frage stehen
Frage	in Frage kommen
Gang	in Gang bringen / setzen
Gebrauch	in Gebrauch sein
Gefahr	in Gefahr befinden
Gefahr	in Gefahr schweben / sein
Gegensatz	im Gegensatz stehen zu jm /etwas

Gehorsam	jm Gehorsam leisten
Gehör	Gehör finden bei jm
Gesellschaft	jm Gesellschaft leisten
Gespräch	ein Gespräch führen
Glauben	jm Glauben schenken
Gnade	Gnade finden vor jm
Haft	jn in Haft nehmen
Herrschaft	Herrschaft ausüben über
Hilfe	jm Hilfe leisten
Hoffnung	sich Hoffnungen machen auf
Hut	den/seinen Hut nehmen
Initiative	die Initiative ergreifen
Irrtum	sich im Irrtum befinden
Kauf	etws in Kauf nehmen
Kenntnis	etwas zur Kenntnis nehmen
Klares	sich im Klaren sein über etwas
Kompromiss	einen Kompromiss schließen (mit jm)
Konsequenz	die Konsequenz ziehen
Kraft	in/außer Kraft setzen
Kritik	Kritik üben an
Kuss	jm einen Kuss geben
Lage	sich in jemandes Lage versetzen
Last	jemandem zur Last fallen
Laufende	auf dem Laufenden sein
Leben	etwas ins Leben rufen
Mode	in Mode sein
Ordnung	etwas in Ordnung halten

Protest	Protest erheben gegen
Protokoll	Protokoll führen
Rat	jemandem den/einen Rat erteilen
Rechenschaft	jemanden zur Rechenschaft ziehen
Rechnung	jemandem etwas in Rechnung stellen
Recht	im Recht sein
Rede	eine Rede halten
Rede	jemanden zur Rede stellen
Respekt	Respekt genießen
Rücksicht	Rücksicht nehmen auf etwas
Rücksicht	Rücksicht nehmen auf jemanden
Schutz	jemanden in Schutz nehmen
Sicht	in Sicht sein
Sorge	sich Sorgen machen um jemanden
Sorge	sich Sorgen machen um etwas
Sprache	etwas zur Sprache bringen
Stelle	zur Stelle sein
Stellung	Stellung nehmen zu etwas
Sterben	im Sterben liegen
Strafe	unter Strafe stehen
Streik	sich im Streik befinden
Streit	sich im Streit befinden
Suche	sich auf die Suche machen nach jemandem
Tat	zur Tat schreiten
Trost	Trost finden bei jemandem

Übereinstimmung	sich in Übereinstimmung (mit jemandem) befinden
Überlegung	Überlegungen anstellen
Überzeugung	zur Überzeugung gelangen / kommen
Unterricht	jemandem Unterricht geben
Unterschied	einen Unterschied machen (zwischen etwas)
Unterstützung	Unterstützung finden
Verabredung	eine Verabredung treffen
Verantwortung	jemanden zur Verantwortung ziehen
Verbindung	in Verbindung treten mit jemandem
Verbindung	sich in Verbindung setzen mit jemandem
Verbindung	in Verbindung stehen mit jemandem
Verbrechen	ein Verbrechen begehen
Verdacht	unter Verdacht stehen
Verdacht	Verdacht schöpfen
Verdacht	in Verdacht geraten
Verfügung	jemandem zur Verfügung stehen
Verfügung	etwas zur Verfügung stellen
Verhandlung	in Verhandlungen stehen mit jemandem
Verlegenheit	in Verlegenheit geraten / kommen
Verlegenheit	jemanden in Verlegenheit bringen
Verruf	in Verruf geraten
Versprechen	jemandem das Versprechen geben
Versprechen	ein Versprechen halten
Verständnis	Verständnis finden
Versteigerung	zur Versteigerung kommen
Versteigerung	etwas zur Versteigerung bringen

Vertrauen	jemandem (sein) Vertrauen schenken
Vertrauen	jemanden ins Vertrauen ziehen
Verwendung	Verwendung finden
Verzicht	Verzicht leisten auf etwas
Verzweiflung	jemanden zur Verzweiflung bringen
Vorwurf	jemandem einen Vorwurf machen

Beispielsätze mit Funktionsverben:

1. Ich **treffe** mit dir eine **Abmachung**.
2. Ich **erteile** dir eine **Absage**.
3. Wir **nehmen Abschied** von unserem Vater.
4. Die Kinder **nehmen sich in Acht** vor dem großen Hund.
5. Mein Nachbar **steht unter Anklage** wegen eines Diebstahls.
6. Ich **finde keine Anerkennung** bei dir.
7. Ich **stelle** beim Finanzamt **einen Antrag** auf Fristverlängerung meiner Steuererklärung.
8. Ich **lege** gegen das ergangenen Urteil **Beschwerde** ein.
9. Das Gesetz **findet** hier keine **Anwendung**.
10. Ich **nehme Abstand** von diesem Mietvertrag.
11. Ich **nehme** das Paket **in Empfang**.
12. Ich **finde Trost** bei meiner Freundin.
13. Das **steht außer Frage**.
14. Die zerbrochene Glasscheibe **stelle** ich Ihnen **in Rechnung**.
15. Wir sind zu dieser **Überzeugung gelangt**.
16. Ich **leiste** Ihnen gerne **Gesellschaft**.
17. Der Redner ist **in Fahrt gekommen**.
18. Die Kinder **befanden** sich **in großer Gefahr**.
19. Morgen wird sich mein Anwalt mit Ihnen **in Verbindung setzen**.
20. Er hatte keinen **Verdacht geschöpf**t.
21. Mein Sohn **hält** sein Kinderzimmer **in Ordnung**.
22. Ich **bin** mir über die Folgen **im Klaren**.
23. Dein Verhalten **bringt** mich **in Verzweiflung**.
24. Das Betreten des Grundstücks **steht unter Strafe**.

ADJEKTIVDEKLINATION

Zitat von MARK TWAIN:

Wenn einem Deutschen ein Adjektiv in die Finger fällt, dekliniert und
dekliniert er es, bis aller gesunde Menschenverstand heraus dekliniert ist.

Das **kleine** Haus gehört mir.   Der **saure** Apfel schmeckt mir nicht.

Bei der **Adjektivdeklination** unterscheidet man in der deutschen Sprache
zwei Fälle:

1.   Das **Adjektiv** steht zwischen dem Artikel und dem Nomen.

ARTIKEL + ADJEKTIV + NOMEN

Beispiele: der **schöne** Mann
                die **junge** Frau
                der **alte** Hund
                die **süße** Katze
                das **liebe** Kind

2.   Das Adjektiv steht allein vor dem Nomen. Der Artikel fehlt.

ADJEKTIV + NOMEN

Beispiele: **schöner** Mann
                junge Frau
                alter Hund
                süße Katze
                liebes Kind

1. vor dem Adjektiv steht ein Artikel:

	Singular (Einzahl)			Plural
	maskulin	feminin	neutral	
Nominativ	der alte Mann	die alte Frau	das alte Mädchen	die alten Männer/Frauen/ Mädchen
Genitiv	des alten Mannes	der alten Frau	des alten Mädchens	der alten Männer/Frauen/ Mädchen
Dativ	dem alten Mann	der alten Frau	dem alten Mädchen	den alten Männer/Frauen/ Mädchen
Akkusativ	den alten Mann	die alte Frau	das alte Mädchen	die alten Männer/Frauen/ Mädchen

	Singular (Einzahl)			Plural
	maskulin	feminin	neutral	
Nominativ	ein alter Mann	eine alte Frau	ein altes Mädchen	alte Männer/Frauen/ Mädchen
Genitiv	eines alten Mannes	einer alten Frau	eines alten Mädchens	alten Männer/Frauen/ Mädchen
Dativ	einem alten Mann	einer alten Frau	einem alten Mädchen	alten Männer/Frauen/ Mädchen
Akkusativ	einen alten Mann	eine alte Frau	ein altes Mädchen	alten Männer/Frauen/ Mädchen

2. vor dem Adjektiv steht kein Artikel:

	Singular (Einzahl)			Plural
	maskulin	feminin	neutral	
Nominativ	alter Mann	alte Frau	altes Mädchen	alte Männer/Frauen/ Mädchen
Genitiv	altes Mannes	alter Frau	altes Mädchens	alter Männer/Frauen/ Mädchen
Dativ	altem Mann	alter Frau	altem Mädchen	alten Männer/Frauen/ Mädchen
Akkusativ	alten Mann	alte Frau	altes Mädchen	alte Männer/Frauen/ Mädchen

Beispiele:

1) Hast mein **blaues** Hemd gesehen?
2) Ist das der Knopf meines **blauen** Hemdes.
3) Hans hat seinem **älteren** Bruder 100 EUEO geschenkt.
4) Seinem **jüngeren** Bruder wurden 100 EURO gestohlen.
5) Leihst du mir dein **altes** Fahrrad aus?
6) Am Sonntag werde ich meine **alten** Eltern besuchen.
7) Das Futter hier gehört der süßen, kleinen Katze meines **netten** Nachbars.
8) Hamed zieht **nächste** Woche in eine schöne, kleine Zwei-Zimmerwohnung.
9) Ich höre **jeden** Tag **schöne, klassische** Musik im Radio.
10) In meinem Garten wachsen **viele, schöne, gutduftende** Blumen.

DEKLINATION NACH DEM BESTIMMTEN ARTIKEL

Das **kleine** Haus gehört mir.   Der **saure** Apfel schmeckt mir nicht.

	Singular (Einzahl)			Plural
	maskulin	feminin	neutral	
Nominativ	der alte	die alte	das alte	die alten
Genitiv	des alten	der alten	des alten	der alten
Dativ	dem alten	der alten	dem alten	den alten
Akkusativ	den alten	die alte	das alte	die alten

Beispielsätze:

1. Der **alte** Baum ist morsch.
2. Das **kleine** Kind isst Eis.
3. Die Eltern des **kleinen** Kindes gehen in`s Kino.
4. Hans bekommt das **neue** Fahrrad in zwei Wochen. (neu)
5. Der Postbote bringt das **große** Paket mit dem **neuen** Fernseher
6. Sadam hat die **alte** Uhr geschenkt bekommen.
7. Die **große** Katze fängt die **kleine** Maus.
8. Das Futter der **kleinen** Hundebabies steht im Kühlschrank.
9. Die Blumen gehören den alten Eltern.
10. Der Baum steht vor dem **alten** Haus neben der **neuen** Hütte.
11. Kathrin bekommt das **neue** Kleid an ihrem Geburtstag.
12. Die Farbe des **neuen** Kleides gefällt dem **jungen** Mädchen nicht.
13. Wem gehören diese gut duftenden Blumen?
14. Chicago gehört zu den schönsten Städten der USA.

DEKLINATION NACH UNBESTIMMTEM ARTIKEL

Ein kleines Haus gehört mir.   **Ein** saurer Apfel schmeckt mir nicht.

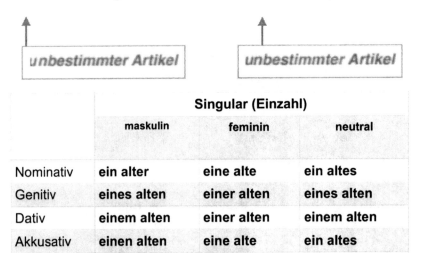

	Singular (Einzahl)		
	maskulin	**feminin**	**neutral**
Nominativ	ein alter	eine alte	ein altes
Genitiv	eines alten	einer alten	eines alten
Dativ	einem alten	einer alten	einem alten
Akkusativ	einen alten	eine alte	ein altes

Beispiel: Der Knochen **eines alten** Hundes liegt im Garten vergraben.
Hans bekommt bald **ein neues** Fahrrad.
Eine große Katze fängt **eine kleine** Maus.

DEKLINATION OHNE ARTIKEL

	Singular (Einzahl)			Plural
	maskulin	**feminin**	**neutral**	
Nominativ	alter	alte	altes	alte
Genitiv	alten	alter	alten	alter
Dativ	altem	alter	altem	alten
Akkusativ	alten	alte	altes	alte

Beispiel: Knochen **alter** Hunde liegen im Garten vergraben.
Hans bekommt **neue** Hosen.
Große Katzen fangen **kleine** Mäuse.

DAS ADVERB (UMSTANDSWORT)

Adverbiale Bestimmungen beschreiben,
- **wann, wo, wie, wie lange** und **warum** etwas passiert.

Adverbien sind daher Worttypen, die nähere Angaben über **Ort**, **Zeit**,
Grund oder **Art** und **Weise** machen. Dementsprechend unterscheiden wir
Lokaladverbien, Temporaladverbien, Kausaladverbien und
Modaladverbien.

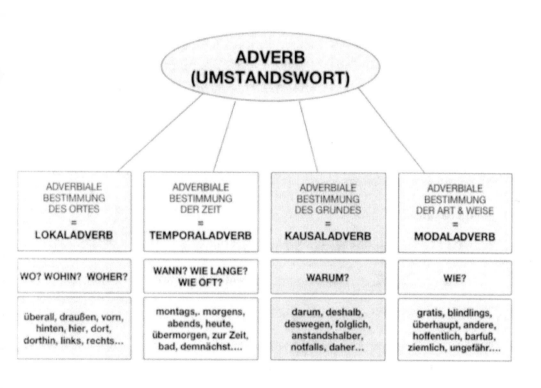

DAS TEMPORALADVERB

- **Adverbiale Bestimmungen der Zeit (temporale Adverbien)** können Informationen über einen **Zeitpunkt**, einen **Zeitraum**, eine **Zeitdauer**, zeitliche **Wiederholungen,** eine zeitliche **Häufigkeit** usw. geben.
- Typische Temporaladverbien auf die **Frage „WANN?"** sind z.B. **anfangs, bald, damals, dann, eben, endlich, eher, heutzutage, inzwischen, jetzt, mittlerweile, neulich, nun, schließlich, seither, seitdem, vorerst, vorhin, zugleich, zuletzt, heute, morgen, gestern, übermorgen.**
- Typische Temporaladverbien auf die **Frage „WIE LANGE?"** sind z.B. **immer, zeitlebens, niemals, stets, noch.**
- Typische Temporaladverbien auf die **Frage „WIE OFT?"** sind z.B. **bisweilen, häufig, manchmal, selten, abends, nachts, vormittags, montags, dienstags, mittwochs, mehrmals, oft, einmal, zweimal, dreimal, viermal...**

Beispiele:

1) Das Cafe Refugio ist **montags** ab 15 Uhr geöffnet.

2) Ich gehe **jetzt** ins Café.

3) Du hast **morgen** einen Termin beim Ausländeramt.

4) Zuerst waschen wir uns die Hände, **danach** essen wir!

5) Ich trinke **selten** Tee, **niemals** Alkohol.

6) **Bereits** als Kind erlernte ich das Klavierspiel.

7) **Vorhin** hat es geregnet.

8) Ich lese **täglich** meine Zeitung.

9) **Zurzeit** liege ich krank im Bett.

10) Morgen werde ich **beizeiten** bei dir sein.

11) **Sonntags** ist das Café Refugio geschlossen!

12) **Einst** war ich klein, **jetzt** bin ich groß!

13) **Endlich** habe ich eine Arbeitsstelle gefunden.

14) **Zurzeit** bin ich noch in der S-Bahn.

15) Ich werde dich **später** besuchen.

16) **Neulich** habe ich dich in der Stadt gesehen.

17) Ich putze mir dreimal **täglich** die Zähne.

18) Ich gehen **regelmäßig** zur Krebsvorsorge.

19) Bei schlechtem Wetter habe ich **stets** meinen Regenschirm bei mir.

20) Ich habe **heute** keine Zeit.

21) **Donnerstags** spiele ich immer Skat.

22) Ich gehe **selten** ins Kino.

23) Wir baden **niemals** in der Binnen-oder Außenalster.

24) **Bis gestern** habe ich krank im Bett gelegen.

25) **Seit wann** besucht ihr einen Deutschkurs?

26) Ich lerne **seit gestern** Deutsch.

27) **Bis wann** geht dein Urlaub?

28) **Ab übermorgen** muss ich wieder zur Arbeit gehen.

DAS LOKALADVERB

Lokaladverbien bezeichnen einen **Ort (Ortsadverbien)** oder eine **Richtung (Richtungsadverbien)**.

Beispiele für Lokaladverbien:

ORTSADVERBIEN	RICHTUNGSADVERBIEN
hier	aufwärts
da	abwärts
dort	hinauf
drinnen	hinunter
draußen	hinein
drüben	hinaus
außen	irgendwohin/nirgendwoher
innen	hinein - herein/ hinaus - heraus
überall	vorwärts
oben / unten	rückwärts
woanders	von oben
links / rechts	von unten
nebenan	von außen
vorn	von innen
hinten	nach links / nach rechts
irgendwo	hinunter - herunter
nirgendwo (nirgends)	geradeaus
	hierhin
	dorthin
	dahin

Beispiele:

1) Das Kind sitzt **hinten** hinter dem Fahrer.

2) Die Ehefrau des Fahrers sitzt **vorn** im Auto.

3) Mein Nachbar **nebenan** hat einen großen Hund.

4) **Hier** bin ich zu Hause, **hier** fühle ich mich wohl!

5) Ich bin **überall** und **nirgends** zu Hause.

6) Zum Bahnhof gehen Sie zwei Straßen weiter **geradeaus**, dann **rechts** bis zur Kreuzung.

7) Der Radfahrer kam von **links** und das Auto von **rechts**.

8) In San Francisco geht es immer **bergauf** und **bergab**.

9) Fährt der Fahrstuhl **aufwärts** oder **abwärts**?

10) **Oberhalb** meiner Wohnung wohnt ein junger, netter Mann aus Syrien.

11) Beim letzten Rockkonzert standen wir ganz **vorn** an der Bühne.

12) Für unser Konzert habe ich nur noch Karten für die letzte Reihe ganz **hinten** bekommen.

13) Komm sofort **her**!

14) Gehe sofort **dorthin**!

15) Stelle die Tassen und Teller **dort** in den Schrank.

16) Kommen Sie bitte **herein** in die gute Stube!

17) Gehen Sie **hinein**!

18) Bergab laufe ich schneller **bergab** als **bergauf**!

DAS KAUSALADVERB

- **Adverbien** kennzeichnen die im Satz genannten **Umstände** näher.
- Bei den **Adverbien des Grundes** (Kausaladverbien) fragen wir nach „Warum?", „Weshalb?", „Wozu?".
- Typische Kausaladverbien sind z.B. **damit, dadurch, dafür, dazu, also, wodurch, daraus, deshalb, deswegen.**

Beispiele

1. Mohamed lebt jetzt in Hamburg. **Deshalb** lernt er Deutsch.

2. Tawil arbeitet viel im Café Refugio, **folglich** hat er wenig Freizeit.

3. Ich übersetze viele Texte ins Englische. **Hierzu** benötige ich ein Wörterbuch.

4. Beim Kochen nehme ich **sicherheitshalber** immer ein Kochbuch zu Hilfe.

5. Dieses Jahr habe ich **nur** wenig Geld angespart, **demzufolge** fällt der Urlaub ins Wasser.

6. **Hierzu** sage ich nichts!

7. Dein Onkel liegt schon seit drei Wochen im Krankenhaus. **Anstandshalber** müssen wir ihn nun endlich besuchen!

8. Gestern Abend ging mir der Fernseher kaputt, **dadurch** konnte ich das EM-Spiel nicht weiter anschauen!

9. Anna ist macht zur Zeit ihr Abitur. **Deshalb** wird sie heute Nachmittag nicht ins Café Refugio kommen.

10. Meine Autobatterie war leer. **Deswegen** konnte ich nicht zu dir kommen.

DAS MODALADVERB

- **Modaladverbien** geben Auskunft über die „Art und Weise", wie etwas geschieht.
- Daher lautet das Fragewort für das Modaladverb: **Wie?**
- Typische Modaladverbien sind z.B. **anders, gern, so,** blindlings, jählings, eilends, vergebens, derart, genauso, irgendwie, hinterrücks, kopfüber, rundweg....

Beispiele

1) Meine Frau singt **sehr** gut.

2) Das Erlernen der deutschen Sprache ist **bekanntlich** nicht einfach.

3) Für manche Menschen ist Radfahren **äußerst** schwer.

4) Er stürzte sich **kopfüber** in das Abenteuer.

5) Morgen ist es teilweise wolkig, **teilweise** fällt Schnee.

6) Ich stimme dir **ebenfalls** zu.

7) Wir sehen es **genauso** wie du.

8) Gestern hat es **kaum** geregnet.

9) Achmed hat heute seinen Freund Mohamed **heftig** beschimpft.

10) Die Pilger bekommen auf ihrem Pilgerweg **gratis** etwas zum Essen.

11) Wir sehen uns morgen **hoffentlich** wieder.

12) Wenn du so weitermachst, rennst du **blindlings** in dein Verderben.

13) Und **überhaupt** bin anderer Meinung wie du!

14) „Hier stehe ich, ich kann nicht **anders**, Gott helfe mir, Amen", (M.Luther)

15)

AN WEICHER STELLE IM SATZ STEHT DAS ADVERB?

Adverbien können sowohl am **Satzanfang** als auch in der **Satzmitte** stehen.

a. Das Adverb steht am Satzanfang

Steht das Adverb am Satzanfang, ändert sich der Satzbau:
Subjekt und finites Verb *tauschen* die Positionen.
Das Verb jedoch bleibt an der **2. Position!**

- Ich besuchte an Weihnachten meine Eltern.
  An Weihnachten besuchte ich meine Eltern.
- Wir waren gestern im Kino.   *Gestern*
  waren wir im Kino.
- Der Mann steht dort.   *Dort*
  steht der Mann.
- Seine Freundin wohnt hier.
  Hier wohnt seine Freundin.
- Ich sage dir das nicht zweimal.   *Zweimal*
  sage ich dir das nicht!
- Dein Bruder kommt heute zu dir.
  Heute kommt dein Bruder zu dir.
- Die kalte Jahreszeit ist hoffentlich bald vorbei.   **Hoffentlich**
  ist die kalte Jahreszeit bald vorbei.

b. Das Adverb steht in der Satzmitte

Steht das Adverb in der Satzmitte, gelten folgende *Grundregeln*:

1. Das Adverb steht im Normalfall **vor** dem Akkusativ-Objekt, aber **hinter** dem Dativ-Objekt.
   - Ich gehe mit meinem Freund **gerne** ins Fussballstadion.
   - Wir besuchen **immer sonntags** unsere Tante im Altenheim.
   - Wir holen **heute** unsere Freunde vom Flughafen ab.
   - Das Auto fuhr **langsam** den Berg hinauf.
   - Ahmed macht **täglich** seine Deutschaufgaben.
   - Mohamed geht **freitags** in die Moschee.

2. Zur besonderen Hervorhebung kann das Adverb jedoch auch **hinter** dem Akkusativ-Objekt platziert werden.
   - Doch ich gehe in die Kirche **immer sonntags**.
   - Ja, ich werde meinen Freund **morgen** treffen.
   - Doch sie konnte das verlorengegangene Handy **nirgendwo** finden.

3. Das Adverb darf **auf keinen Fall vor** einem Pronomen stehen.
   - Das Buch gibt er_ihr **morgen** zurück.
     (**Falsch**: Das Buch gibt er **morgen** ihr zurück.)
   - Das Auto kommt mir **ziemlich schnell** entgegen.
     (**Falsch**: Das Auto kommt **ziemlich schnell** mir entgegen.
   - Ich muss die Medikamente ihm **abends** geben.
     (**Falsch**: Ich muss die Medikamente **abends** ihm geben.)
   - Er hat mich **bestimmt** vergessen.
     (**Falsch**: Er hat **bestimmt** mich vergessen.)

4. Wenn das Dativ- und Akkusativ-Objekt ein Pronomen ist, dann muss das Adverb **hinter den beiden Objekten** stehen.
   - Die Frau kaufte beim Buchhändler ein Buch. Sie bat ihn ihr es **netterweise** als Geschenk einzupacken.
   - Ich bestellte heute bei meiner Lieblingsfirma ein Regal. Sie wird es mir **praktischerweise** morgen frei Haus liefern.

5. Wenn im Satz kein Objekt vorkommt, steht das Adverb **direkt hinter dem finiten Verb.**
   - Ich überlege **zurzeit**, mir einen neuen Computer zu kaufen.
   - Das funktioniert **leider** nicht.
   - Es geht **heute** nicht.

6. Bei Objekten sowie Orts- und Zeitangaben mit Präposition steht das Adverb **vor der Präposition**.
   - Ich ging **gestern** in das Café Refugio.
   - Ahmed trifft sich **täglich** mit seinen Freunden.
   - Tina will **morgen** ins Kino gehen.
   - Tim geht **nach unten** in den Keller.

STEIGERUNG VON ADVERBIEN

- Adverbien sind normalerweise **unveränderlich**.
- Ausnahmen: **bald, gern, oft und wohl**

Beispiele

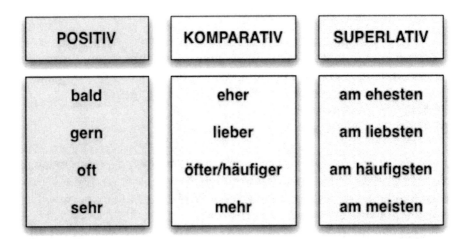

POSITIV	KOMPARATIV	SUPERLATIV
bald	eher	am ehesten
gern	lieber	am liebsten
oft	öfter/häufiger	am häufigsten
sehr	mehr	am meisten

- Alle Adjektive können auch **adverbial** gebraucht werden.
- Diese sogenannten **Adjektivadverbien** werden nicht dekliniert, einige können aber gesteigert werden.

Beispiele:

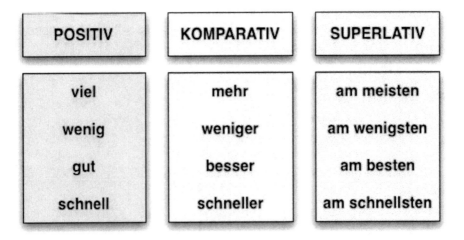

POSITIV	KOMPARATIV	SUPERLATIV
viel	mehr	am meisten
wenig	weniger	am wenigsten
gut	besser	am besten
schnell	schneller	am schnellsten

- Einige Adjektivadverbien können eine **besondere Superlativform** haben.

Beispiele:

aufs neueste	baldigst	bestens
aufs schönste	höflichst	höflichst
aufs beste	freundlichst	schnellstens
aufs freundlichste	weitgehendst	wärmstens

Alternative zur klassischen Steigerungsform

- Bei einigen Adverbien, die keine Steigerungsform haben, können wir mit „**weiter**" bzw. „**am weitesten**" oder mit „**mehr**" bzw. „**am meisten**" eine Art Steigerung bilden.

Beispiele

1. a) Hans spielt **gut** Fußball. Er hat **gut** gespielt.Er wird **gut** spielen.
   b) Ahmed spielt **besser**. Er hat **besser** gespielt.Er wird **besser** spielen.
   c) Tawil spiel **am besten**. Er hat **am besten** gespielt. Er wird **am besten** spielen.

2. a) Ich komme **gern** zu dir.
   b) Ich gehe **lieber** ins Kino.
   c) **Am liebsten** gehe ich ins Café Refugio.

3. a) Der Marathonläufer ist **schnell** gerannt.
   b) Der Radfahrer war **schneller** am Ziel.
   c) Der Motorradfahrer war **am schnellsten**.

4. a) Die Münchner haben **viel** gespendet.
   b) Die Frankfurter haben **mehr** gespendet.
   c) Die Hamburger haben **am meisten** gespendet.

5.　　a) Der Winter kommt **bald**.

b) Die Kälte kommt **eher**.

c) Der Schnee kommt **am ehesten**.

6.　　a) Alina geht **oft** ins Konzert.

b) Sarah geht **häufiger** ins Konzert

c) Carolina geht **am häufigsten** ins Theater.

7.　　a) Mein Nachbar hat mich gestern **aufs freundlichste** gegrüßt.

b) Deine Junggesellenwohnung ist **weitgehendst** unmöbliert.

c) Dieses Menu kann ich dir **wärmstens** empfehlen.

8.　　a) Er bittet dich **aufs höflichste** um Entschuldigung.

b) Ich werde das **schnellstens** wieder in Ordnung bringen.

c) **Am besten** vergessen wir unseren Streit schnellstmöglich.

9.　　a) Die junge Mutter hat ihr Baby immer **aufs beste** mit Muttermilch versorgt.

b) Wenn es draußen kalt ist, gehe ich **am liebsten** in die warme Stube.

c) Schneefall im Dezember ist wahrscheinlich. **Am wahrscheinlichsten** ist aber Schneefall im Januar.

10.　　a) **Eher** heute als morgen werde ich dich besuchen.

b) Wir haben **aufs schönste** zusammen Geburtstag gefeiert.

c) Noch vor dem strengen Frost haben wir uns **bestens** mit Heizöl eingedeckt.

11.　　a) Ich mache mir **am meisten** Sorgen um dich.

b) Ahmed stand **am weitesten vorne**.

c) Die SPD ist die Partei, die **am weitesten vorne** ist, wenn es um Zuwanderung und Integration geht (sagte 2009 Olaf Scholz).

DAS PRONOMINALADVERB

- **Pronominaladverbien (= Präpositionaladverbien)** sind Wörter, die als ersten Bestandteil eines der drei Adverbien „da", „hier" oder „wo" enthalten und deren zweiter Bestandteil eine Präposition ist.

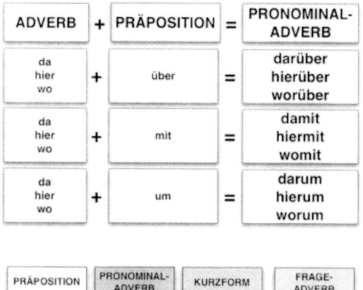

ADVERB	+	PRÄPOSITION	=	PRONOMINAL-ADVERB
da hier wo	+	über	=	darüber hierüber worüber
da hier wo	+	mit	=	damit hiermit womit
da hier wo	+	um	=	darum hierum worum

PRÄPOSITION	PRONOMINAL-ADVERB	KURZFORM	FRAGE-ADVERB
an	daran	dran	woran
auf	darauf	drauf	worauf
aus	daraus	draus	woraus
bei	dabei	-	wobei
durch	dadurch	-	wodurch
entlang	da entlang	-	wo entlang
für	dafür	-	wofür
gegen	dagegen	-	wogegen
hinter	dahinter	-	wohinter
in	darin	drin	worin
mit	damit	-	womit
nach	danach	-	wonach
über	darüber	drüber	worüber
von	davon	-	wovon
vor	davor	-	wovor
wegen	deswegen	-	weswegen
zu	dazu	-	wozu
zwischen	dazwischen	-	wozwischen

- Pronominaladverbien können ein Nomen mit Präposition ersetzen, damit das Substantiv nicht wiederholt werden muss.

Hör mit dem Trinken auf! | Hör **damit** auf!

Gib auf dein Geld acht! | Gib **darauf** acht!

Ich erinnere mich an meinen Urlaub. | Ich erinnere mich **daran**.

- Pronominaladverbien können **nicht** in Bezug auf Personen, sondern **nur in Bezug auf Sachen** verwendet werden.

Spiel mit dem Ball. | Spiel **damit**!

Spiel mit Mohamed. | Falsch: Spiel damit!

Richtig: Spiel **mit ihm**!

- Pronominaladverbien können nicht mit allen Präpositionen gebildet werden.

Beispiele

1. Ich spreche über Musik. Ich spreche **darüber**.
2. Ich spreche über Tina. Ich spreche **mit ihr** .
3. Ich glaube an die Kraft des Wortes. Ich glaube **daran**.
4. Ich vertraue der Muskelstärke von Mohamed. Ich vertraue **darauf**.
5. Ich bestehe auf Einhaltung dieses Vertrages. Ich bestehe **darauf** .
6. Hans hat die beste Klassenarbeit geschrieben. **Dabei** hat er nur wenig gelernt.
7. Wenn du Probleme hast beim Deutschlernen, ich kann dir **dabei** helfen.
8. Auf meinem Apfelbaum hängen viele Äpfel. **Davon** kannst du dir soviel pflücken wie du willst.
9. In drei Wochen ist Weihnachten. **Darüber** freuen wir uns sehr.
10. Letzte Woche habe ich im Lotto einige tausend Euro gewonnen. **Davon** will ich mir jetzt ein Auto kaufen.
11. Hört mit dem Rauchen auf! Hört **damit** auf!
12. Gestern waren auf einer Geburtstagsparty viele Gäste. Fast die Hälfte **davon** kannte ich.
13. Meine Bekannten haben Eheprobleme. Aber sie sprechen nicht **darüber**.
14. Meine Frau hat sich ein neues Kleid gekauft. Rate mal, wie viel sie **dafür** bezahlt hat?
15. Du hast bald Geburtstag. **Worüber** kann ich dir eine Freude machen?
16. Habt ihr gerade einen Witz gemacht oder **worüber** lacht ihr?
17. Hans lacht über Tina. **Über wen** lacht er?
18. Hast du Lust mit mir ins Kino zu gehen? Ja, ich habe Lust **dazu** .
19. Fliegst du nächste Woche in die USA? Ja, ich fliege **dort hin** .

DIE PARTIKEL

Die Partikel (Partikeln) sind nicht veränderbare Wörter, die weder zu den Präpositionen noch zu den Adverbien oder Konjunktionen gehören.

Es gibt in der deutschen Sprache folgende Partikelformen:

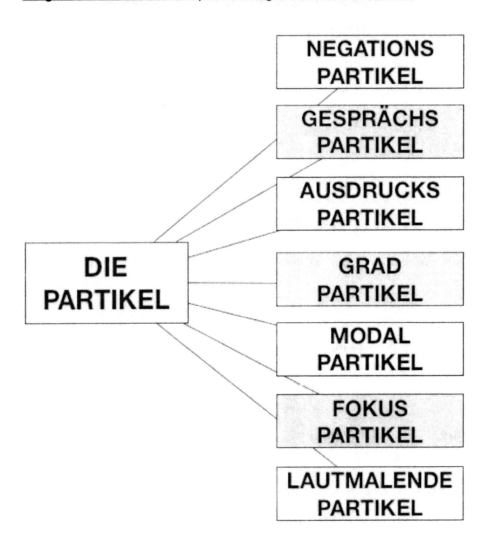

Beispiele:

GESPRÄCHSPARTIKEL:

gern, okay,ja, nein, hm, gut, genau, richtig,

. . .

- Typische Gesprächsartikel sind **Zurufe** oder **Antworten**.

„**Hm**, daran habe ich noch gar nicht gedacht."

„**Richtig**, das sehe ich **genau** so!"

„**Okay**, das können wir so machen!"

„**Ja, ja**, mach´nur!"

AUSDRUCKSPARTIKEL:

hm!, hihi!, ätsch!, hui!, oh, he!, schade!,
pfui!, hurra!, igitt!, juhu!, au!, aua!, autsch!
uh!, ah!, ach!, huch!, oho!, hoppla!, oje!,
puh!, uff!, pff!, phh! hü!, hott!, ...

- Ausdruckspartikel drücken eine **Gefühlslage** aus.

„**Schade**, dass das dir passieren musste!"

„**Hihi**, das hast du nun davon!"

„**igitt, igitt**! Wer macht denn sowas?"

„**Huch**, hast du mich erschreckt!"

GRADPARTIKEL:

sehr, ausgesprochen, besonders, wenig, etwas, nicht so, gar nicht, überhaupt nicht, einigermaßen, fast, ziemlich, so, ungemein, überaus, äußerst, zutiefst, höchst, zu...

•Zur

Stärkung oder **Abschwächung** einer Aussage verwenden wir Grad- oder Steigerungspartikel.

• Die Gradpartikel stehen immer **vor** einem **Adjektiv** oder **Adverb**.

„Dein Autokauf war **wirklich** günstig."

„Das Fernsehprogramm gestern abend war **ziemlich** langweilig."

„Mein neues Fahrrad war **gar nicht** so teuer!"

„Deine Kindern sind **ausgesprochen** artig!"

„Du bist eine **zutiefst** beleidigte Leberwurst."

„Unsere Nationalmannschaft war im Viertelfinale der EM **überaus** taktisch gut eingestellt."

„Das geht aber **gar nicht**, mein Freund!"

„Ich bin vor Angst **fast** gestorben."

„Das geht aber so **überhaupt nicht**!"

LAUTMALENDE PARTIKEL:

schnipp,schnapp, quak, peng, bumm, boing, tatütata, ticktack; plumps, schwupps, zack, ruckzuck, ratsch, hui, bums, rums, hatschi, kikeriki, wau, wuff, blub-blub, miau...

- Fokuspartikel dienen zur **Hervorhebung** von etwas.

- Fokuspartikel können sich auf alle Satzteile beziehen.

„Wir waren beim Konzert **besonders** von der Sängerin beeindruckt!"

„Mir gefällt das Auto nicht. **Vor allem** die Farbe ist häßlich."

„Deine Vorwürfe haben mich **zutiefst** beleidigt."

„Meiner Meinung nach ist dieses Auto **ungemein** schnell."

„Ich fand das Fussballspiel der Nationalmannschaft gestern **höchst** unterhaltsam."

„Mein Mittagessen hat mir **sehr**, **sehr** gut geschmeckt."

„Deine Bemerkung hat mich **zutiefst** getroffen."

„Was du kennst nicht WhatsApp? **Selbst** meine Großmutter kennt das!"

„Gestern habe ich eine Wohnung besichtigt. Aber sie hat mir **sogar** nicht gefallen."

- Lautmalende Partikel kommen auch häufig in Comics oder Zeichentrickfilme (Mickey Maus, Tom & Jerry usw.) vor.

MODALPARTIKEL:
ja, eigentlich, doch, denn, mal, eben, halt, wohl, ruhig, vielleicht, schon, bloß, nur,...

Das

Autowaschen geht ja **ruckzuck** bei dir!

Tatütata, die Feuerwehr ist da!

„Gestern ging ich mit meiner Enkeltochter spazieren. **Plumps** hat sie nicht aufgepasst und fiel in die große Pfütze! Und wurde **patschnass** !"

„Als meine Tochter noch klein war, hatte sie Berliner gegessen bis sie **pappsatt** war."

aus Max & Moritz (W.Busch):

„Kaum hat dies der Hahn gesehen,
Fängt er auch schon an zu krähen:
Kikeriki! Kikikerikih!! -
Tak, tak, tak! - Da kommen sie."

„**Schnupdiwup!** Da wird nach oben
Schon ein Huhn heraufgehoben."

„**Ritzeratze!** voller Tücke,
In die Brücke eine, Lücke."

- Modalpartikel zeigen Gefühle!

- Modalpartikel geben die Stimmung des Sprechers wieder.

- Modalpartikel können oftmals ganz unterschiedliche Bedeutungen haben.

- Die Modalpartikeln heißen auch **Redepartikeln**, weil sie nur **mündlich** in einer Rede verwendet werden.

- Die Modalpartikeln sind **Signalwörter** und bringen die **Gefühle des Sprechers** zum Ausdruck.

- Mit den Redepartikeln kann ein bestimmter Bezug zu einer vorangegangenen Äußerung angezeigt werden, oder es kann der Stellenwert, den der Sprecher der Äußerung beimisst, gekennzeichnet werden.

- Die Modal- bzw. Redepartikeln können mehrere, oft ganz unterschiedliche Bedeutungen haben.

- Die Redepartikeln sind unveränderlich, **nicht deklinierbar.**

- Die Redepartikeln stehen nie in der Position 1 des Satzes, sondern in der Regel **in der Satzmitte**, das heißt, hinter dem Verb und dem Pronomen.

- Modalpartikeln können nicht erfragt werden.

- Modalpartikeln können - wie alle Partikel- jederzeit weggelassen werden.

Beispiele für Modalpartikel:

1. Hätte ich das **bloß** nicht gesagt!

2. Das hättest du mir **doch** sagen müssen!

3. Das ist **aber** gar nicht nett von dir!

4. Das musste **ja** so kommen!

5. Das ging **ja** ganz und gar schief!

6. Mach das **bloß** nie wieder!

7. Ich hab´s dir **doch** gesagt!

8. Ich habe es **ja** gewusst.

9. Woher kommst du **denn**?

10. Dann mach **halt**, was du willst!

11. Mach hier **mal** schnell den Fernseher an!

12. Es ist **schon** sehr wichtig, dass du Deutsch lernst!

13. Hast du denn **etwa** in der Schule nicht aufgepasst?

14. Es geht **hal**t nicht immer alles so, wie man es sich wünscht.

15. Es klappt **eben** nicht immer!

16. Hör mir **doch** endlich mal zu!

17. Mach **mal** bitte die Tür zu!

18. Wir wollten uns **doch** gestern treffen.

19. Ich glaube, du hast mich **wohl** vergessen.

20. Was willst du **eigentlich** von mir genau wissen?

NEGATIONSPARTIKEL: nicht

Die Verneinungsform „**nicht**" gehört ebenfalls zu den Partikeln.

Ich verstehe die Welt **nicht** mehr!

Ich komme heute **nicht** zu dir!

Wir schauen uns **nicht** das Länder spiel an!

Manual Neuer steht heute **nicht** im Tor.

Warum nur haben wir das Fussballspiel gegen Frankreich **nicht** gewonnen?

KONJUNKTIONEN

- **Konjunktionen (Bindewörter)** verbinden **einzelne Wörter, Satzteile, Nebensätze** und **Hauptsätze** miteinander.

- Wir unterscheiden 2 Arten von Konjunktionen:

  (a) die **nebenordnenden Konjunktionen** und

  (b) die **unterordnenden Konjunktionen**

- **Nebenordnende (koordinierende) Konjunktionen** verbinden zwei Hauptsätze, zwei Nebensätze oder zwei Satzglieder miteinander.

- **Unterordnende Konjunktionen** verbinden einen Hauptsatz mit einem Nebensatz.

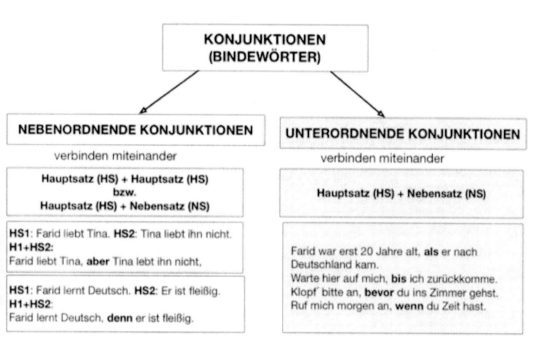

NEBENORDNENDE KONJUNKTIONEN

NEBENORDNENDE KONJUNKTIONEN

und, ferner, endlich, teils - teils, somit, sowohl - als auch, zudem, außerdem, also, überdies, nicht nur - sondern auch, oder aber, allein, nur, hingegen, dagegen, nun, übrigens, doch, jedoch, dennoch, nämlich, denn, daher, deswegen, deshalb, darum, folglich, freilich

Beispiele

1) Wir fahren ans Meer, **denn** wir baden gerne.
2) Ich fahre im Winter in die Alpen, **da** ich den Schnee liebe.
3) Heute gehen wir nicht ins Kino, **sondern** ins Theater.
4) Vielleicht gehe ich morgen ins Kino **oder** ins Café Refugio.
5) Ich muss unsere Verabredung heute absagen, **aber** nächste Woche können wir uns vielleicht treffen.
6) Bitte ruf einen Arzt an, **denn** ich bin krank.
7) Dieses Jahr habe ich keinen Urlaub, **doch** nächstes Jahr fahren wir wieder weg.
8) Die Tochter meiner Nachbarin ist schon 1,5 Jahre alt, **aber** sie kann immer noch nicht laufen.
9) Meine Nachbarin ist nett **und** gibt mir Deutschunterricht.
10) Wir kommen heute nicht mehr zusammen, **sondern** treffen uns morgen wieder.

UNTERORDNENDE KONJUNKTIONEN

- als
- bevor
- bis
- da
- damit
- dass
- ehe
- falls
- indem
- nachdem

- obwohl
- seit
- seitdem
- sodass
- solange
- sooft
- während
- weil
- wenn
- wohingegen

Beispiele

1) Mohamed geht in die Schule, **weil** er Deutsch lernen möchte.
2) Ich putze mir die Zähne, **bevor** ich ins Bett gehen.
3) Du warst 3 Jahre alt, **als** du in den Kindergarten kamst.
4) Wir können erst in den Urlaub fahren, **wenn** die Schulferien beginnen.
5) Ich habe gestern meinen Freund getroffen, **als** ich im Café Refugio war.
6) Ich weiß, **dass** du mein bester Freund bist.
7) Ich warte auf dich, **solange** du beim Zahnarzt bist.
8) Es ist viel passiert, **seitdem** wir uns das letzte Mal gesehen haben.
9) Ich denke an dich, **sooft** ich kann.
10) Hans arbeitet, **obwohl** er krank ist.

KONJUNKTIONALADVERBIEN

- **Konjunktionaladverbien** bringen **Zustände und Sachverhalte miteinander in Beziehung** und **verbinden** sie miteinander.
- Die Konjunktionaladverbien unterscheiden sich von den Konjunktionen, dass sie im Satz die gleiche Stellung haben wie Adverbien.
- **Konjunktionaladverbien können im Satzinneren stehen.** Konjunktionen können dies **nicht!**

Beispiele für Konjunktionaladverbien:

- allerdings
- also
- andererseits
- anschließend
- außerdem
- dabei
- dadurch
- dafür
- dagegen
- damit
- danach
- dann
- darauf
- darum
- davor
- dazu

- deshalb
- deswegen
- einerseits
- ferner
- folglich
- genauso
- immerhin
- inzwischen
- jedoch
- schließlich
- seitdem
- später
- trotzdem
- vorher
- weder ... noch
- zuvor
- zwar

Beispiele

1) Ich war im Urlaub. **Deshalb** konnte ich nicht zur Feier kommen.

2) **Einerseits** ist er zwar blind, **andererseits** kann er aber gut hören.

3) Du musst dich gut auf den A 2 - Test vorbereiten, **damit** du ihn schaffst.

4) Gestern war ich im Kino. **Weder vorher** noch **nachher** habe ich dich dort gesehen.

5) Deutsch ist nicht einfach zu erlernen, **trotzdem** werde ich es schaffen.

6) Ich putze jetzt unser Auto, **inzwischen** kannst du den Hof fegen.

7) **Zwar** hatte er keinen Führerschein, aber **trotzdem** fuhr er das Auto.

8) Ich nehme jetzt ein Bad, **danach** gehe ich ins Bett.

9) Ich esse gerne Wurst, **allerdings** nicht mit Schweinefleisch, **sondern** nur mit Kalbfleisch..

10) Ich gehe gerne mit meinem Hund Gassi, **jedoch** nur, wenn es nicht regnet.

11) Ich frühstücke noch, **später** werde ich bei dir vorbeikommen.

12) Mein Sohn ist jetzt 1 Jahr alt, **immerhin** kann er schon laufen.

13) Du hast mich geärgert, **folglich** spreche ich heute kein Wort mehr mit dir.

14) Wir gehen jetzt ins Kino, **danach** zum Italiener.

15) Du hast für mich eingekauft, **dafür** bekommst du jetzt dein Geld.

16) **Genauso** wie es in den Wald hinein schallt, schallt es auch wieder heraus.

DIE SATZGLIEDER

- Buchstaben bilden **Wörter**. Wörter bilden **Sätze**.
- Zerlegt man einen Satz in seine Bestandteile erhält man zunächst **Satzbausteine** bzw. **Satzglieder**.
- Werden die Satzglieder weiter zerlegt, ergeben sich **Artikel**, **Substantive**, **Verben**, **Attribute**, **Präpositionen** usw.
- Innerhalb eines Satz gibt es einen bestimmten Satzaufbau, der es erlaubt, Wörter bzw. Satzteile in einem Satz zu **verschieben** oder zu **ersetzen**.
- Die **Satzteile** (Elemente), die innerhalb eines Satzes verschoben werden können, heißen Satzglieder.
- Satzglieder können aus **einem** oder **mehreren** Wörtern bestehen.
- Satzglieder werden niemals durch Kommas getrennt.
- Satzglieder können durch Attribute erweitert werden.
- Es gibt unterschiedliche **Satzgliedformen** (z.B. **Subjekt**, **Prädikat**, **Genitivobjekt**, **Dativobjekt**, **Akkusativobjekt** usw.)
- Unverzichtbare Satzglieder sind
    a) das **Subjekt (Satzgegenstand)** und
    b) das **Prädikat (Satzaussage)**.

- Verzichtbare Satzglieder sind z.B.
    a) **Objekt**
    b) **Zeitergänzung** (adverbiale Bestimmung der Zeit)
    c) **Ortergänzung** (adverbiale Bestimmung des Ortes)
    d) **Begründungsergänzung** (adverbiale Bestimmung des Grundes)
    e) **Artergänzung** (adverbiale Bestimmung der Art & Weise)

Beispiel für Satzglieder

Unser Beispielssatz lautet:

„Anna schenkt ihrem Freund heute das Kochbuch."

Wenn wir diesen Beispielssatz „zerlegen", erhalten wir folgende
„Satzglieder":

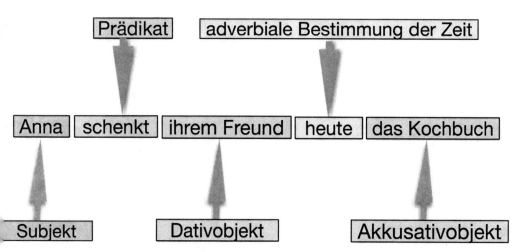

- Satzglieder sind z.B. **Subjekt**, **Prädikat**, **Objekt** und **Adverbien**.
- Kennzeichen von Satzglieder ist, dass sie
    - **erfragbar** sind
    - **verschiebbar** sind
    - **ersetzbar** sind.

- Satzglieder sind Wörter oder Wortgruppen, die sich bei einer Umstellprobe **verschieben** lassen, ohne dass sich der Sinn des Satzes ändert.
- Mit Hilfe der **Umstellprobe** können wir leicht die einzelnen Satzglieder erkennen.
- In einem Aussagesatz können wir alle Satzglieder umstellen bzw. verschieben.
- Das **Prädikat** des Satzes bleibt jedoch immer auf **Position 2** und läßt sich nicht verschieben.

Umstellprobe für die einzelnen Satzglieder:

Pos.1	Pos.2			Satzende
Anna	schenkt	ihrem Freund	heute	das Kochbuch
Das Kochbuch	schenkt	Anna	ihrem Freund	heute
Heute	schenkt	Anna	ihrem Freund	das Kochbuch
Ihrem Freund	schenkt	heute	Anna	das Kochbuch

Wie bestimme ich die einzelnen Satzglieder?

- Die Satzglieder werden durch Erfragen bestimmt?

Zum Beispiel:

Mein Hund bellt den Briefträger an!

Frage: **Wer** bellt?   Antwort: mein Hund   (Subjekt)

Frage: **Wen** bellt er an?   Antwort: den Briefträger (Akkusativobjekt)

Satzglieder bestimmen durch **Nachfragen**:

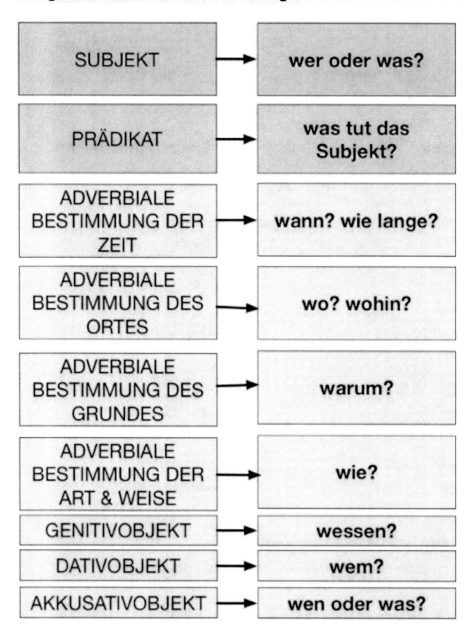

SUBJEKT	→	**wer oder was?**
PRÄDIKAT	→	**was tut das Subjekt?**
ADVERBIALE BESTIMMUNG DER ZEIT	→	**wann? wie lange?**
ADVERBIALE BESTIMMUNG DES ORTES	→	**wo? wohin?**
ADVERBIALE BESTIMMUNG DES GRUNDES	→	**warum?**
ADVERBIALE BESTIMMUNG DER ART & WEISE	→	**wie?**
GENITIVOBJEKT	→	**wessen?**
DATIVOBJEKT	→	**wem?**
AKKUSATIVOBJEKT	→	**wen oder was?**

Beispiel:

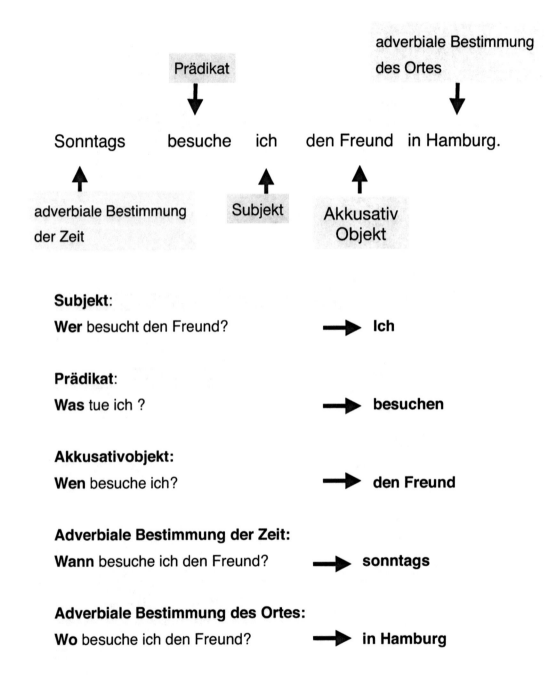

adverbiale Bestimmung
des Ortes

Prädikat

Sonntags   besuche   ich   den Freund   in Hamburg.

adverbiale Bestimmung
der Zeit

Subjekt

Akkusativ
Objekt

Subjekt:
Wer besucht den Freund? → **Ich**

Prädikat:
Was tue ich ? → **besuchen**

Akkusativobjekt:
Wen besuche ich? → **den Freund**

Adverbiale Bestimmung der Zeit:
Wann besuche ich den Freund? → **sonntags**

Adverbiale Bestimmung des Ortes:
Wo besuche ich den Freund? → **in Hamburg**

HAUPTSATZ & NEBENSATZ

1. **Durch die Position** (Stellung) des Verbs im Satz unterscheiden sich Hauptsatz und Nebensatz voneinander.

2. Beim Nebensatz steht das **konjugierte Verb am Satzende.**
   - Ich weiß nicht, ob es morgen **regnet.**
   - Ich weiß, dass ich nichts **weiß.**

3. Bei einem mehrteiligen Verb steht das **Hilfsverb am Satzende.**
   - Ich weiß nicht, ob es vor drei Tagen geregnet **hat.**
   - Ich hoffe nicht, dass ich den Zug verpasst **habe.**

4. Im Perfekt/Plusquamperfekt und Futur I steht das **konjugierte Verb vor** den anderen Satzteilen.
   - Ich weiß nicht, ob das Fussballturnier so **hätte** ausgehen müssen.
   - Ich weiß, dass ich das niemals **hätte** machen dürfen.

5. **Trennbare** Verben werden **nicht** getrennt.
   - Ich weiß, dass du mir bei meinen Hausaufgaben **beistehst.**
   - Wir wissen nicht, wie man den Motor **abschaltet.**

6. **Modalverben** stehen am Satzende.
   - Ich weiß, dass ich noch viel lernen **muss.**
   - Sarah weiß nicht, ob Ahmed sie heiraten **will.**

7. Ausserdem kann ein **Nebensatz niemals alleine** für sich stehen.

8. Nebensätze werden **durch Konjunktionen** (Verbindungswörter) eingeleitet und mit dem Hauptsatz verknüpft.

9. **Haupt-** und **Nebensatz** werden **durch ein Komma** getrennt.

NEBENSÄTZE

In der deutschen Sprache unterscheiden wir zwischen **Hauptsätzen** und **Nebensätzen**.

Nebensätze haben einen anderen Satzaufbau als Hauptsätze.
- ein Nebensatz kann **nicht** allein stehen
- ein Nebensatz wird durch eine **Subfunktion** mit dem Hauptsatz verbunden.
- Zwischen Haupt- und Nebensatz steht ein **Komma**.
- bei einem Nebensatz steht das Verb **am Satzend**e / das Hilfsverb **am Satzende** / das Modalverb **am Satzende**.
- bei einem Nebensatz werden trennbare Verben **nicht** getrennt.

Typisch konjunktionale Nebensätze sind zum Beispiel:

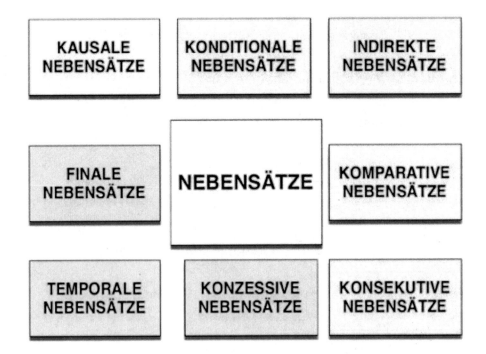

KAUSALE NEBENSÄTZE

KONDITIONALE NEBENSÄTZE

INDIREKTE NEBENSÄTZE

FINALE NEBENSÄTZE

NEBENSÄTZE

KOMPARATIVE NEBENSÄTZE

TEMPORALE NEBENSÄTZE

KONZESSIVE NEBENSÄTZE

KONSEKUTIVE NEBENSÄTZE

1. ADVERBIALSÄTZE

A. Kausale Nebensätze

- Ein **kausaler Nebensatz** gibt einen **Grund** an, der sich auf eine Information im Hauptsatz bezieht.
- Kausalsätze geben Antwort auf die Fragen:
  Warum? Weshalb? Weswegen? Aus welchem Grund? Wieso?

1. Gestern ging ich nicht zur Arbeit, **da** ich mich nicht wohl fühlte.
2. **Da** ich gestern aus Krankheitsgründen nicht arbeiten konnte, muss ich heute viel nacharbeiten.
3. **Da** die Heizung in der Schule kaputt ist, müssen die Schüler zu Hause bleiben.
4. Der Streudienst der Stadtreinigung hat heute eine Menge zu tun, **weil** in der Nacht sehr starker Schneefall war.
5. Ich lerne fleißig Deutsch, **weil** ich es für meine Arbeit brauche.
6. Ich kann dich heute nicht besuchen kommen, **da** ich krank im Bett liege.
7. Wir kommen nicht mit ins Kino, **da** wir kein Geld mehr haben.
8. Wir kommen nicht mit zum Schwimmen, **da** wir erkältet sind.
9. **Weil** es zu windig war, konnte das Kleinflugzeug nicht starten.
10. Ich musste an der Kasse im Supermarkt sehr lange warten, **da** viele Menschen vor mir anstanden.
11. Ich habe meinem Chef nichts gesagt, **weil** ich das Problem allein lösen wollte.
12. In öffentlichen Räumen herrscht allgemeines Rauchverbot, **da** auch das Passivrauchen gesundheitsschädlich ist.
13. Wir gehen täglich ins Cafe Refugio, **weil** die Menschen dort alle sehr nett zu uns sind.
14. **Da** meine Haut sehr empfindlich ist, darf ich nicht zu lange in die Sonne.

B. Finale Nebensätze

- Ein **Finalsatz** ist ein Nebensatz, der eine **Absicht**, einen **Zweck oder** ein **Ziel** ausdrückt.
- Die Infinitivkonjunktion „**um ... zu**" wird verwendet, wenn Haupt- und Nebensatz das gleiche Subjekt haben.

1. Ich mache täglich Sport, **um** fit und gesund **zu** bleiben.
2. Ich esse täglich Obst, **damit** ich genügend Vitamine zu mir nehme.
3. Ich führe jeden Tag meinen Hund aus, **damit** er auch zu seinem Recht kommt.
4. Der Lehrer spricht sehr laut zu seinen Schülern, **damit** sie ihn alle auch gut verstehen.
5. **Um** mich nicht in einem Mittagsschlaf **zu** stören, verzichtet mein Nachbar auf das Rasenmäher zwischen 13 Uhr und 15 Uhr.
6. Ich helfe den Besuchern vom Cafe Refugio, **damit** sie schnell die deutsche Sprache erlernen.
7. Wir sind letztes Jahr in die Innenstadt umgezogen, **damit** wir nicht so weite Schulwege mehr haben.
8. Ich wohne auf dem Land, **um** bessere Luft zum Atmen **zu** haben.
9. Mein Sohn hat sich eine Dauerkarte vom FC St.Pauli gekauft, **um** ja kein Spiel mehr versäumen **zu** müssen.
10. Ich habe meiner Tochter Geld geschenkt, **damit** sie eine schöne Reise machen kann.
11. Ich habe heute morgen bei Dr. Meier angerufen, **um** für nächste Woche einen Arzttermin **zu** bekommen.

C. Modale Nebensätze

1. Ich habe das Herz meiner Frau erobert, **indem** ich ihr täglich Komplimente machte.
2. Am schnellsten wird man reich, **indem** man im Lotto gewinnt.
3. **Dadurch dass** viele Menschen täglich Gymnastikübungen machen, bleiben sie auch im Alter fit und gelenkig.
4. **Indem** ich nicht soviel Kohlehydrate esse, bleibt mein Blutzucker im Normbereich.

5. Ich komme am schnellsten ins Büro, **indem** ich die S-Bahn nehme.
6. **Ohne dass** man täglich Deutsch lernt, kann man nicht die deutsche Sprache gut beherrschen.
7. Ich gehe abends nicht ins Bett, **ohne dass** ich vorher einen Kamillentee zu mir nehme.
8. Ich gehe nicht in die Sonne, **ohne dass** ich mich nicht zuvor mit Sonnenschutzöl vor der gefährlichen UV-Strahlung schütze.
9. **Indem** ich eine Sonnenschutzcreme auf meine Haut auftrage, schütze ich mich vor der gefährlichen UV-Strahlung.

D. Lokale Nebensätze

1. Der Wind weht, **wohin** und **woher** er will.
2. Er versteckte sich hinter der Hütte im Wald, **wo** ihn niemand sehen konnte.
3. Die Sonne geht dort unter, **wo** Westen ist.
4. **Wo** Familie Meier ihren Skiurlaub verbringt, liegt immer viel Schnee.
5. Da, **wo** du nicht bist, ist das Glück!
6. **Wo** die Sonne scheint, verbringen wir unseren Urlaub.
7. Wir wissen nicht, **woher** die Mäuse kommen.
8. Wer nicht weiß **woher** er kommt, weiß nicht **wohin** er geht.

E. Temporale Nebensätze

In **temporalen Nebensätzen** werden Zeitverhältnisse ausgedrückt, die **gleichzeitig** (während, solange) oder **vorzeitig** (nachdem, seitdem) oder **nachzeitig** (bevor, ehe, bis)geschehen.

1. **Während** wir im Kino gemütlich den Film sahen, blitzte und donnerte es draußen gewaltig.
2. **Solange** du schliefst, habe ich die Küche aufgeräumt.
3. **Solange** du erkältest bist, solltest du im Bett bleiben.
4. **Als** ich zur Arbeit ging, schliefst du noch.
5. **Nachdem** du den A2 Test bestanden hast, kannst du dich um die Arbeitsstelle bewerben.
6. **Seitdem** er eine neue Freundin hat, habe ich ihn nicht mehr gesehen.
7. **Seit** er das Rauchen aufgegeben hat, fühlt er sich wieder viel besser.

8. **Bevor** ich zur Arbeit gehe, bekommt mein Hund noch sein Fressen.
9. **Ehe** es zu regnen anfängt, müssen wir zu Hause sein.
10. Ich warte auf dich, **bis** du fertig bist.
11. Du kamst heimlich nach Hause, **während** ich schlief.
12. Ich denke immer an dich, **seitdem** ich dich kennengelernt habe.
13. Wir waschen uns die Hände, **bevor** wir zum Essen gehen.
14. Sie lachten über den Spielfilm, **sooft** sie darüber sprachen.
15. Du legst dich jeden Tag auf dein Bett, **nachdem** du gegessen hast.
16. **Bevor** ich ins Kino gehe, wasche ich zu Hause meine schmutzigen Teller ab.
17. Ich esse soviel Berliner, **bis** mir der Magen platzt.
18. **Nachdem** ich 7 Berliner gegessen habe, bekam ich Bauchweh.
19. Ich kann nicht mehr schlafen, **seit** täglich morgens um 5 Uhr der Hahn des Nachbarn kräht.

F. Konditionale Nebensätze

- Konditionalsätze heißen auch **Bedingungssätze**.
- Es handelt sich bei diesen Sätzen um Nebensätze, die eine Bedingung ausdrücken.
- Bedingungssätze sind in der deutschen Sprache gekennzeichnet durch Wortverbindungen wie z.B. „**wenn - dann**", „**falls**", „**sofern**", „**unter der Bedingung**" usw.
- Wir unterscheiden verschiedene Formen von Bedingungssätzen:

I. Reale Bedingungssätze im Indikativ
II. Irreale Bedingungssätze im Konjunktiv

I. Beispiele für reale Bedingungssätze im Indikativ:

1. Wenn das Wetter gut ist und die Sonne scheint, machen wir einen Spaziergang.
2. Wenn du mir hilfst, dann helfe ich dir auch.
3. Ich helfe meiner Freundin sofort, wenn sie meine Hilfe braucht.
4. Wenn es regnet, gehe ich nicht aus dem Haus.
5. Du kommst zu spät zur Arbeit, wenn du deinen Bus verpasst.
6. Falls du das Buch wiederfindet, schick es mir!

7. Falls wir Zeit haben, helfen wir dir.
8. **Wenn** du heute Abend zu mir kommst, dann bring bitte etwas zum Trinken mit.
9. **Falls** du beim Bäcker vorbei kommst, kannst du mir zwei Brötchen mitbringen.
10. **Wenn** du nicht mit dem Schnarchen aufhörst, muss ich meine Konsequenzen ziehen.
11. **Falls** es heute Nacht stürmt, muss ich zu Hause bleiben.
12. **Wenn** die Schüler im Unterricht nicht aufpassen, bekommen sie vom Lehrer eine Strafarbeit.
13. **Wenn** das Wetter morgen gut ist und die Sonne scheint, machen wir eine großen Spaziergang.

14. **Falls** du am Wochenende im Lotto gewinnst, kannst du mir etwas Geld schenken.
15. **Wenn** jemand auf die Universität gehen will, braucht er in Deutschland das Abitur.

II. Beispiele für irreale Bedingungssätze im Konjunktiv :

1. Wenn es nicht regnen würde, würden wir im Garten unseren Kaffee trinken.
2. **Wenn** du morgen Zeit hast, könnten wir zusammen ins Kino gehen.
3. Mohamed würde gerne seine Freundin besuchen, wenn sie Zeit für ihn hätte.
4. Hätte ich genügend Geld, würde ich eine Weltreise machen.
5. Wenn ich einmal reich wäre, würde ich dir eine Million euro schenken.
6. Wenn wir seine Hilfe brauchen würden, würde er mir auch sofort helfen.
7. **Wenn** ich Geld hätte, würde ich dir ein Auto schenken.
8. **Wenn** ich einmal reich wär, wäre ich ein reicher Mann.
9. Ich besuche dich morgen gerne, **sofern** es dir recht ist.

G. Konzessive Nebensätze

- Konzessive Nebensätze geben einen **Gegengrund**, eine **Einschränkung** oder eine **Einräumung** an.
- Ein konzessiver Nebensatz wird mit der Konjunktion " **obwohl** " oder " **obgleich** " eingeleitet.

1. **Obwohl** er hohes Fieber hatte, ging er zur Arbeit.
2. **Obwohl** ich müde bin, kann ich nicht einschlafen.
3. Mohamed kann immer noch kein Deutsch, **obgleich** er schon 4 Jahre lang in Deutschland lebt.
4. Mein Nachbar fuhr gestern nach der Party mit dem Auto nach Hause, **obwohl** er reichlich Alkohol genossen hatte.
5. **Obwohl** die Auftragslage der Firma gut ist, hat der Chef viele seiner Mitarbeiter entlassen.
6. **Wenn** es **auch** stürmt und schneit, kommen wir trotzdem zu dir nach Hause.
7. **Auch wenn** du noch so viel jammerst, ohne zu lernen, kommst du nicht weiter.
8. Der Junge des Nachbarn kann noch nicht rechnen, **obgleich** er schon in der 4. Klasse ist.
9. Der Mann fährt jeden Tag mit einem Auto zur Arbeit, **obwohl** er keinen Führerschein besitzt.
10. Meine Schwester geht heute arbeiten, **obwohl** sie erkältet ist.

H. Konsekutive Nebensätze

Ein **konsekutiver Nebensatz** drückt die **Folge** einer Handlung oder eines Zustands aus.

1. Das Flugzeug flog so hoch, dass man es nicht mehr sehen konnte.
2. Der Golfspieler schlug den Golfball ins Gebüsch, so das man ihn nicht mehr finden konnte.
3. Der Radfahrer für so weit auf der Straße, dass ihn kein Auto überholen konnte.
4. Die Sängerin war so erkältet, dass sie ihren Auftritt absagen musste.
5. Der Prüfling war so schlecht auf den B1-Test vorbereitet, dass er leider durch die Prüfung durchfiel.
6. Das Essen war so schlecht, dass wir uns beim Koch beschwerten.

7. Ahmed kam viel zu spät ins Café Refugio, so dass ich schon wieder zu Hause war.
8. Der Redner spricht so schnell, **sodass** man ihn kaum verstehen kann.
9. Der Sturm war so stark, **sodass** wir nicht aus dem Haus kommen konnten.
10. Der verunglückte Motorradfahrer blutete **so** stark, **dass** er im Krankenhaus weiter behandelt werden musste.
11. Der Sohn erbte nach dem Tode seines Vaters so viel Geld, **ohne dass** er vorher das geahnt hatte.
12. Die Mieterin unterschrieb den Mietvertrag nicht, **ohne dass** sie vorher mit ihrem Mann darüber gesprochen hätte.
13. Mein Hund kann stundenlang die Katze des Nachbars jagen, **ohne dass** er müde wird.
14. Die Mathematikaufgabe ist zu schwierig, **als dass** ich sie alleine lösen könnte.
15. Meine Nachbarn sind reich genug, **dass** sie sich einen Swimmingpool leisten können.

I.   Komparative Nebensätze

- Ein **Vergleichsatz (Komparativsatz)** vergleicht die Aussage des Nebensatzes mit der Aussage des Hauptsatzes.
- Handelt es sich um eine **Gleichheit**, verwendet man als Konjunktion **„wie"**.
- Handelt es sich um eine **Ungleichheit**, wird der Komparativsatz mit **„als"** eingeleitet.

1. Seine Schwester ist genau so groß **wie** seine Mutter war.
2. Seine Schwester ist kleiner **als** ihr Bruder ist.
3. Mein Vater ist schneller mit dem Essen fertig **als** ich es bin.
4. Meine Mutter kocht besser **als** mein Vater es tut.
5. Ich spiele genau so gerne Monopoly **wie** meine Schwester mit ihren Puppen spielt!
6. Mohamed geht eben so oft in die Moschee **wie** Ahmed.
7. **Je** schneller ihr arbeitet, **umso** eher werdet ihr fertig sein.
8. Meine Nachbarn haben sich ein Auto gekauft, **wie** ich es auch gekauft hätte.

Indirekte Fragesätze

Nebensätze mit „ob" sind **indirekte Fragesätze**. Sie drücken Zweifel oder Nichtwissen aus und beziehen sich auf eine JA / NEIN-Frage.

1. Ich habe gefragt, **ob** du mit ins Kino kommst.
2. Du hast nicht gesagt, **ob** du gestern den Spielfilm gesehen hast.
3. Bist du sicher, **ob** deine e-mail Adresse richtig ist?
4. Kannst du mir eine sms schrieben und mit mitteilen, **ob** du mit mir heute Abend ins Kino gehst?
5. Ich weiß nicht, **ob** ich den Herd ausgeschaltet habe.
6. Ich bin mir nicht sicher, **ob** bei meinem tiefgefrorenen Hähnchen nicht das Haltbarkeitsdatum überschritten ist.
7. Ich weiß nicht, **ob** sie zu meinem Geburtstag kommt.

2. RELATIVSÄTZE

- Ein Relativsatz ist ein Nebensatz, der sich auf ein Nomen im Hauptsatz bezieht.
- Ein Relativsatz liefert zusätzliche Informationen über ein Subjekt bzw. Objekt.
- Ein Relativsatz wird entweder mit einem Relativpronomen oder mit einem Relativadverb gebildet.
- Während Relativpronomen gebeugt werden, ändern sich Relativadverbien nicht.

Beispiele:

1. Das Haus, **das** dort drüben steht, wird nächste Woche neu gestrichen.
2. Ich finde die Geschichte, **die** ihr mir erzählt, interessant.
3. Alina, **deren** Schwester in Tübingen lebt, kommt auch aus Süddeutschland.
4. Das ist meine Freundin, **mit der** ich nächstes Jahr in Urlaub fahre.
5. Ahmed, **den** ich aus dem Cafe Refugio kenne, hat morgen Geburtstag.
6. Tina spricht fließend Englisch, **was** mich sehr beeindruckt.
7. Wir treffen uns dort, **wo** wir uns das erste Mal getroffen haben.
8. Im Cafe Refugio bekommen die Gäste umsonst Kaffee, **wofür** sie sehr dankbar sind.
9. Achim, **den** wir vom Deutschunterricht her kennen, ist zur Zeit im Urlaub.
10. Morgen werde ich wieder Erfan sehen, **worüber** ich mich sehr freue.

3. INFINITIVSÄTZE (mit und ohne „zu")

- In der Regel steht der Infinitiv immer am Satzende.

- Vor dem Infinitiv kann das Wort „zu" stehen (hat aber keine eigene Bedeutung).

Der Infinitiv ohne „zu" kommt in folgenden Fällen vor:

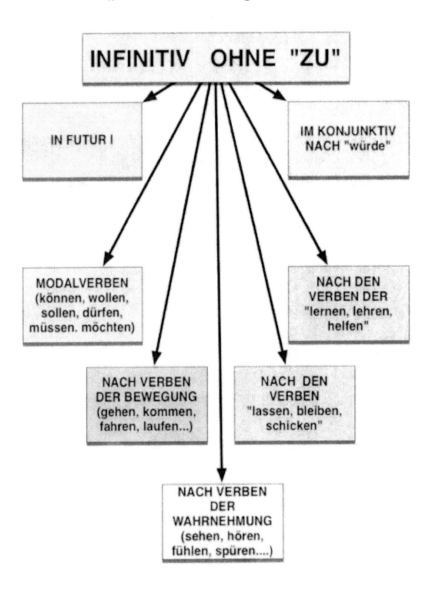

INFINITIV OHNE "ZU"

IN FUTUR I

IM KONJUNKTIV NACH "würde"

MODALVERBEN
(können, wollen, sollen, dürfen, müssen. möchten)

NACH DEN VERBEN DER
"lernen, lehren, helfen"

NACH VERBEN DER BEWEGUNG
(gehen, kommen, fahren, laufen...)

NACH DEN VERBEN
"lassen, bleiben, schicken"

NACH VERBEN DER WAHRNEHMUNG
(sehen, hören, fühlen, spüren....)

Beispiele für Sätze mit „ohne zu"

1. Heute werden wir **schwimmen gehen**.
2. Ich höre den Vogel **zwitschern**.
3. Hörst du auch das Baby **schreien**?
4. Wann lässt du dein Fahrrad **reparieren**?
5. Ich höre die Vögel **zwitschern**.
6. Wer von euch lernt Deutsch **sprechen**?
7. Ich würde gerne mit dir ins Kino **gehen**.
8. Du kannst nicht schön **singen**.
9. Würdest du mit mir in die USA **fliegen**?
10. Ich möchte dich zum Mittagessen in das Restaurant **einladen**.
11. Können Sie mich zum Bahnhof **bringen**?
12. Ich kann sehr gut auswendig **lernen**.
13. Ich lasse mir gerne bei meinen Hausaufgaben **helfen**.
14. Soll ich heute Abend zu dir **kommen**?
15. Wenn du fleißig bist, kannst du den A 1 Test **schaffen**.
16. Mohammed fährt gerne mit dem Auto **spazieren**.
17. Morgens lasse ich mir die Zeitung nach Hause **bringen**.
18. Wann werden die Menschen zum Mars **fliegen**?
19. Kommst du heute mich **besuchen**?
20. Ich sehe meine Freundin am Haus **vorbeigehen**.
21. Wir helfen dir die Hausaufgaben **machen**.
22. Man soll sich morgens und abends die Zähne **putzen**.
23. Als Kind durfte ich nie allein draußen **spielen**.
24. Ich würde dir ja so gerne **helfen**, wenn ich dürfte!
25. Ich kann mir auswärts **essen gehen** kaum noch leisten!
26. Willst du mit mir **spazieren gehen**?
27. Es ist jetzt spät geworden. Du musst nun **schlafen gehen**!
28. Sonntags bleibe ich immer länger im Bett **liegen**.

Infinitivsätze mit „zu"

- Wenn man von **Infinitivsätzen** spricht, ist immer die **Infinitivkonstruktion mit "zu"** gemeint.
- Handelt es sich um ein trennbares Verb, so steht " **zu** " zwischen Verbzusatz (Vorsilbe) und dem Verb.
- Der Infinitiv der trennbaren Verben wird demnach **zusammengeschrieben**.

Beispiele für Sätze mit „ zu"

1. Wir haben jetzt keine Zeit **zu lernen**.

2. Obst und Gemüse **zu essen** war noch nie ein Fehler!

3. Es ist gesund viel **zu trinken**.

4. Wir haben die Absicht, dich morgen **zu besuchen**.

5. Wir hoffen, beim Wettrennen unter den ersten Fünf **zu sein**.

6. Versuchst du auch, vegetarisch **zu essen**?

7. Ich bitte dich, das Fenster wieder **zuzumachen**.

8. Wir versuchen, die Tür wieder **aufzumachen**.

9. Es ist wichtig, Deutsch **zu lernen**.

10. Farid beschloss, Medizin **zu studieren**.

11. Ich rate dir, zum Facharzt **zu gehen**.

12. Viele Menschen treiben Sport, um **abzunehmen**.

13. Warum bist du gestern gegangen, ohne dich **zu verabschieden**?

14. Ich bitte dich, nicht in meiner Wohnung **zu rauchen**.

15. Wir hoffen, dich morgen **zu treffen**.

16. Ich hoffe, meine beste Freundin bald **wiederzusehen**.

17. Ich liebe es, dich **zu ärgern**.

- Wenn man von Infinitivsätzen spricht, ist immer die Infinitiv-konstruktion mit **"zu"** gemeint.
- Mit Infinitivsätzen mit *„um zu"* können wir das Ziel einer Handlung ausdrücken.
- Verwenden wir *„um zu"*, steht „um" jedoch am Anfang des Infinitivsatzes.
- Infinitivsätze werden auch nach bestimmten Wörtern und Wendungen verwendet.

<u>Beispiele:</u>

1. Es ist schön, dich **zu** kennen.
2. Ich bin hier, um mit dir **zu** sprechen.
3. Meine Freundin hat mich verlassen, ohne ein Wort **zu** sagen.
4. Ahmed hat keine Zeit, um Deutsch **zu** lernen.
5. Mohammed macht es großen Spass, Deutsch **zu** lernen.
6. Karolina hat kein Geld, um sich einen Sportwagen **zu** kaufen.
7. Tina investiert viel Zeit, um anderen **zu** helfen.
8. Achim kommt zu dir, um dir **zu** helfen.
9. Karin macht viel Quatsch, um dich zum Lachen **zu** bringen.
10. Hans benutzt ein Deodorant, anstatt sich **zu** duschen.
11. Ahmed schreibt mir eine SMS, anstatt mich **anzurufen**.
12. Es ist schön, ein Buch **zu** lesen.
13. Es hat mich gefreut, dich **kennenzulernen**.
14. Erwin hat das Geschenk entgegen genommen, ohne sich dafür **zu** bedanken.
15. Ich hatte bei der Feier den Eindruck, nicht erwünscht **zu** sein.
16. Ich hatte dem jungen Mann geraten, heute noch zum Arzt **zu** gehen.

4. SUBJEKT - UND OBJEKTSÄTZE

- Der Subjektsatz ist ein Nebensatz, der ein Subjekt ersetzt.
- Der Objektsatz ist ein Nebensatz, der ein Objekt (Genitiv-, Dativ- oder Akkusativobjekt) ersetzt.
- Subjektsätze erfragen wir mit **„Wer/Was?"** und Objektsätze erfragen wir mit **„Wessen/Wem/Wen/Was?"**.

Beispiele:
1. Ich kennen nur ein Gedicht, **was** ich in der Schule gelernt habe.
2. **Wer** den Schaden hat, spottet jeder Beschreibung.
3. Der Autofahrer wurde angeklagt, **ohne** sich um den Schaden zu kümmern, davon gefahren zu sein.
4. Der Radfahrer wurde beschuldigt, **das** Kind umgefahren zu haben.
5. Wir vertrauen nur, **wen** wir kennen.
6. Sarah freut sich, eine gute Sängerin zu sein.
7. Alina erinnert sich, als Kind viele Haustiere gehabt zu haben.

5. ATTRIBUTSÄTZE

- Nebensätze, die als Attribute zu Nomen oder Pronomen eines übergeordneten Satzes fungieren und sich auf Nomen bzw. Pronomen beziehen, heißen Attributsätze.
- Wir unterscheiden zwischen zwei Gruppen von Attributsätzen: die Attributsätze im **engeren** Sinne (= Relativsätze) und diese im **weiteren** Sinne(= dass-Sätze, indirekte Fragesätze, uneingeleitete Infinitvsätze, uneingeleitete Nebensätze).

Beispiele:
1. Die Gefahr, dass wir nächstes Jahr im Casino in Las Vegas viel Geld verlieren, ist sehr groß.
2. Die Möglichkeit, im Café Refugio nette Leute kennenzulernen, ist groß.
3. Du hast auf meine Bitte, mir zu helfen, leider noch nicht geantwortet.
4. Nach dem VW-Skandal befürchtete man, die Aktien würden schneller fallen als erwartet.
5. Die Schwierigkeit, günstig ein Baugrundstück zu erwerben, wird von Jahr zu Jahr größer.

DER SATZBAU

- Die Wortstellung in der deutschen Sprach kann **sehr verschieden** sein. **Der Satzbau ist daher sehr flexibel.**
- Hauptsätze sind Sätze, die **alleine** stehen können.
- Der einfachste **Hauptsatz** besteht aus **Subjekt**, **Verb** und **Objekt**.
- Das **finite** Verb steht an **Position 1 oder Position 2** im Satz.
- Das **infinite** Verb (**Infinitiv, Partizip II**) steht immer **am Satzende**.
- Das Subjekt steht in der Regel **am Satzanfang**.
- In der deutschen Sprache können aber auch Objekt, Ortsangaben oder Zeitangaben **am Satzanfang** stehen.

Beispiel für den Satzbau:

| Subjekt | finites Verb | Zeit | Ort | | indirektes Objekt | direktes Objekt | infinites Verb |

Eine Journalistin hat gestern im Café Refugio den Gästen Fragen gestellt.

| Ort | finites Verb | Subjekt | direktes Objekt | Zeit | direktes Objekt | infinites Verb |

Im Café Refugio hat eine Journalistin den Gästen gestern Fragen gestellt.

| indirektes Objekt | finites Verb | Subjekt | Zeit | Ort | direktes Objekt | infinites Verb |

Den Gästen hat eine Journalistin gestern im Café Refugio Fragen gestellt.

| Zeit | finites Verb | Subjekt | Ort | indirektes Objekt | infinites Verb |

Gestern hat eine Journalistin im Café Refugio den Gästen Fragen gestellt.

Position 1   Position 2   Satzende

Anmerkungen zum Hauptsatz

- Der **Hauptsatz** besteht mindestens aus den Satzteilen **Subjekt, Prädikat** und **Objekt**.
- Der Hauptsatz lässt sich leicht **durch Nebensätze erweitern**, was jedoch nicht zwingend notwendig ist.
- Hauptsätze können **alleine** existieren, ein Nebensatz kann nur zusammen mit einem Hauptsatz gebildet werden.
- Ein Hauptsatz endet in der Regel mit einem **Punkt** oder **Fragezeichen** oder **Ausrufezeichen**.
- Zwischen dem Nebensatz und dem Hauptsatz besteht eine **einseitige Abhängigkeit**.
- Ein **Nebensatz** muss mit einer **einleitenden Konjunktion (z.B. "dass", "weil", "obwohl", "wenn" usw.)** beginnen.
- Haupt- und Nebensatz werden immer durch **ein Komma** getrennt.
- Ebenfalls **ein Komma** steht zwischen **zusammenhängenden Hauptsätzen** (Satzreihe).
- Werden **zusammenhängende Hauptsätze** durch die Bindewörter „und" bzw. „oder" miteinander verbunden, setzt man in der Regel **kein Komma**.

In den folgenden Beispielen ist der Hauptsatz **fettgedruckt.**

1. **Der Himmel ist blau.**
2. **Ich gehe in meinen Garten**, obwohl es draußen regnet.
3. **Die Schüler lernen für die Klassenarbeit**, die sie nächste Woche schreiben werden.
4. **Mein Frau singt gerne romantische Lieder** und **sie tritt auch vor Publikum auf.**
5. **Ich schließe nicht die Tür ab**, weil ich meinen Schlüssel verloren habe.
6. Da es draußen sehr stark regnet, **gehe ich nicht vor die Haustür.**
7. Sollten sich die Briten am 23. Juni für einen „Brexit" stimmen, **würde die britische Währung um neun Prozent abgewertet werden.**
8. Weil der junge Radfahrer nicht aufpasste, **stürzte der Junge.**

TEILSÄTZE & SATZBAU

Teilsätze sind möglich in der Kombination von:

- Hauptsatz (HS) + Hauptsatz (HS)
- Hauptsatz (HS) + Nebensatz (NS)
- Hauptsatz (HS) + Nebensatz (NS) + Nebensatz (NS) + ... usw.

wichtige Regel:

Teilsätze werden durch ein Komma vom Hauptsatz abgetrennt und enthalten ein Prädikat.

Beispiel:

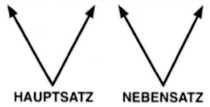

Im obigen Beispiel haben wir **2 Teilsätze**:
- einen **Hauptsatz**   „Ich höre nur Radio,
- und einen **Nebensatz**   „weil ich keinen Fernseher habe."

Ein Beispiel für **3 Teilsätze** ist folgender Satz:

Ich freue mich, dass du mich besuchst, obwohl ich krank bin.

Teilsätze können miteinander verbunden werden mit:

- **Konjunktionen,**

- **Subjunktionen und**

- **Konjunktionaladverbien**

Konjunktionen

Beispiele für nebenordnende Bindewörter:

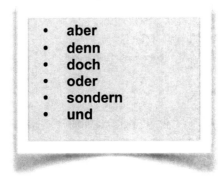

- **aber**
- **denn**
- **doch**
- **oder**
- **sondern**
- **und**

<u>Vergleich:</u> **Der Satzbau im Hauptsatz und im Nebensatz:**

Im Teilsatz, der mit einer **Konjunktion** eingeleitet wird, ist der Satzbau genauso wie in einem normalen Hauptsatz.

Konjunktion + Subjekt + finites Verb + ...

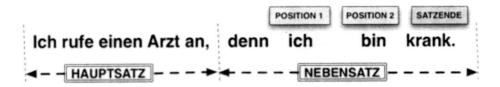

| | POSITION 1 | POSITION 2 | SATZENDE |

Ich rufe einen Arzt an, **denn** **ich** **bin** **krank.**

◄– ⟦HAUPTSATZ⟧ – – –►◄ – – – ⟦NEBENSATZ⟧ – – – – –►

Beispielssätze:

1. Wir fahren ans Meer, **denn** wir baden gerne.
2. Ich fahre im Winter in die Alpen, **da** ich den Schnee liebe.
3. Heute gehen wir nicht ins Kino, **sondern** wir gehen ins Theater.
4. Vielleicht gehe ich morgen ins Kino **oder** ich komme ins Café Refugio.
5. Ich muss unsere Verabredung heute absagen, **aber** nächste Woche können wir uns vielleicht treffen.
6. Bitte ruf einen Arzt an, **denn** ich bin krank.
7. Dieses Jahr habe ich keinen Urlaub, **doch** nächstes Jahr fahren wir wieder weg.
8. Die Tochter meiner Nachbarin ist schon 1,5 Jahre alt, **aber** sie kann immer noch nicht laufen.
9. Meine Nachbarin ist nett **und** gibt mir Deutschunterricht.
10. Wir kommen heute nicht mehr zusammen, **sondern** wir treffen uns morgen wieder.
11. Ich bin nicht reich, **aber** gesund.
12. Deine Familie lebt in Hamburg **und** sie sind alle glücklich.
13. Im Unterricht dürfen die Schüler nicht reden, **sondern** müssen alle gut zuhören.
14. Die Sängerin singt ein schönes Lied **und** der Klavierspieler begleitet sie am Flügel.
15. Draußen zwitschern schon in der Frühe die Vögel, **denn** es wird Frühling.
16. Möchtest du Kaffee trinken **oder** hast du Hunger?
17. Ich denke jedenTag an dich, **doch** du denkst niemals an mich!
18. Ich esse gerne Kartoffelsalat, **aber** heute möchte ich nur etwas trinken.
19. Zu unserer Party fehlen uns nicht nur die Teller, **sondern** es fehlen uns auch noch die Gläser und die Papiertischdecken.

Subjunktionen

Subjunktionen sind Bindewörter, die Teilsätze einleiten. Sie werden auch "**unterordnende Konjunktionen**" genannt.

- als
- bevor
- bis
- da
- damit
- dass
- ehe
- falls
- indem
- nachdem

- obwohl
- seit
- seitdem
- sodass
- solange
- sooft
- während
- weil
- wenn
- wohingegen

<u>Vergleich:</u> **Der Satzbau im Hauptsatz und im Nebensatz:**

Im Teilsatz, der mit einer <u>**Subjunktion**</u> eingeleitet wird, steht das **finite Verb** am Satzende.

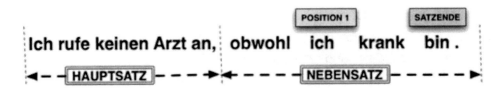

Ich rufe keinen Arzt an, obwohl **ich** krank **bin .**

POSITION 1   SATZENDE

◄─ ─HAUPTSATZ─ ─ ─►◄─ ─ ─ ─NEBENSATZ─ ─ ─ ─►

Beispielssätze:

1) Mohamed geht in die Schule, **weil** er Deutsch lernen möchte.

2) Ich putze mir die Zähne, **bevor** ich ins Bett gehen.

3) Du warst 3 Jahre alt, **als** du in den Kindergarten kamst.

4) Wir können erst in den Urlaub fahren, **wenn** die Schulferien beginnen.

5) Ich habe gestern meinen Freund getroffen, **als** ich im Café Refugio war.

6) Ich weiß, **dass** du mein bester Freund bist.

7) Ich warte auf dich, **solange** du beim Zahnarzt bist.

8) Es ist viel passiert, **seitdem** wir uns das letzte Mal gesehen haben.

9) Ich denke an dich, **sooft** ich kann.

10) Hans arbeitet, **obwohl** er krank ist.

11) Ich komme jetzt schnell zu dir, **ehe** es zu regnen anfängt!

12) Ich habe den Hund gefüttert, **während** du arbeiten warst.

13) Ich komme ins Träumen, **sooft** ich an dich denke.

14) Mein Hund jagt keine Katzen, **wogegen** dein Hund jede Katze zu jagen versucht.

15) Du sprichst ein viel besseres Deutsch, **seitdem** du den Deutschkurs besuchst.

16) Ich spare jeden Monat etwas Geld, **damit** wir nächstes Jahr eine schöne Urlaubsreise zusammen machen können.

Konjunktionaladverbien

Konjunktionaladverbien sind Satzglieder, die Sachverhalte miteinander in Beziehung bringen und sie -genauso wie die nebenordnenden Konjunktionen- miteinander verbinden.

- allerdings
- also
- andererseits
- anschließend
- außerdem
- dabei
- dadurch
- dafür
- dagegen
- damit
- danach
- dann
- darauf
- darum
- davor
- dazu

- deshalb
- deswegen
- einerseits
- ferner
- folglich
- genauso
- immerhin
- inzwischen
- jedoch
- schließlich
- seitdem
- später
- trotzdem
- vorher
- weder ... noch
- zuvor
- zwar

Die **Konjunktionaladverbien** unterscheiden sich von den anderen Konjunktionen darin, dass sie nicht nur am Anfang des Satzes, sondern auch im Satz stehen können.

Beispielssätze:

1) Ich war im Urlaub, **daher** konnte ich nicht zu deiner Feier kommen.

2) Ich wollte den Sonnenaufgang sehen, **deshalb** bin ich schon um 5 Uhr morgens aufgestanden.

3) Du musst dich gut auf den A 2 - Test vorbereiten, **damit** du ihn schaffst.

4) Gestern war ich im Kino, aber w**eder vorhe**r noch **nachher** habe ich dich dort gesehen.

5) Deutsch ist nicht einfach zu erlernen, **trotzdem** werde ich es schaffen.

6) **Zwar** bin ich erst 5 Monate in Hamburg, **trotzdem** spreche ich schon ein wenig Deutsch.

7) Ich komme um 20 Uhr zu dir, **jedoch** kann es auch später werden.

8) Ich nehme jetzt ein Bad, **danach** gehe ich ins Bett.

9) Ich esse gerne Wurst, **allerdings** nicht mit Schweinefleisch, **sondern** nur mit Kalbfleisch..

10) Ich gehe gerne mit meinem Hund Gassi, **jedoch** nur, wenn es nicht regnet.

11) Ich frühstücke noch, **später** werde ich bei dir vorbeikommen.

12) Mein Sohn ist jetzt 1 Jahr alt, **immerhin** kann er schon laufen.

13) Du hast mich geärgert, **folglich** spreche ich heute kein Wort mehr mit dir.

14) Wir gehen jetzt ins Kino, **danach** zum Italiener.

15) Du hast für mich eingekauft, **dafür** bekommst du jetzt dein Geld.

16) **Genauso** wie es in den Wald hineinschallt, schallt es auch wieder heraus.

17) **Zwar** hatte er keinen Führerschein, aber **trotzdem** fuhr er das Auto.

18) **Einerseits** ist er zwar blind, **andererseits** kann er aber gut hören.

19) Ich gehe jetzt nach Hause, **damit** du deine Ruhe hast.

20) Ich putze jetzt unser Auto, **inzwischen** kannst du den Hof fegen.

KAUSALE VERKNÜPFUNGEN

Die **kausale Verknüpfung** beschreibt, aus welchem **Grund** (warum) etwas geschieht.

1. Kausale Verknüpfung mit Konjunktionen:

a) Ich bin zu Hause geblieben, **weil** ich Kopfschmerzen habe.

b) Das Motorrad fährt nicht mehr, **weil** es kein Benzin mehr hat.

c) Gestern war ich nicht im Schwimmunterricht, **weil** ich krank war.

d) Das Kind weint, **weil** es vom Stuhl gefallen ist.

e) Achmed freut sich, **weil** er seinen A 2 - Test bestanden hat.

f) **Da** ich Kopfschmerzen hatte, bin ich zu Hause geblieben.

g) **Da** Achmed seine Prüfung bestanden hat, freut er sich so.

h) Ich gehe nicht aus dem Haus, **denn** es regnet.

i) **Da** es regnet, gehe ich nicht aus dem Haus.

j) Ich gehe jetzt schlafen, **weil** ich sehr müde bin.

k) Warum gehst du schon schlafen? **Weil** ich so müde bin!

l) Warum kommst du nicht mit ins Konzert? **Weil** ich kein Geld mehr habe!

2. Kausale Verknüpfung mit Adverbien:

a) Mohamed hatte keine Zeit, **daher** konnte er nicht mit ins Kino kommen.

b) Der Pizzabote brachte verspätet eine kalte Pizza, **deshalb** beschwerten wir uns bei seinem Chef.

c) Es regnete sehr stark, **aus diesem Grund** konnten die Kinder nicht draußen spielen.

d) Ich möchte meine Freunde heute nachmittag treffen, **deshalb** gehe ich ins Cafe Refugio.

3. Kausale Verknüpfungen mit Präpositionen

a) **Wegen** starker Kopfschmerzen ging ich gestern nicht zur Schule.

b) **Wegen** Benzinmangels konnte ich nicht mit meinem Motorrad kommen.

c) **Aufgrund** einer Erkältung musste die Sängerin das Konzert absagen.

d) **Infolge** einer Krankheit muss ich das Bett hüten.

e) Tim freut sich so **aufgrund** seiner bestandenen Führerschein-prüfung.

f) **Infolge** des Abgas-Skandals sanken innerhalb weniger Stunden die VW-Aktien.

Hinweis:

Nach „**wegen**" und „**aufgrund**" steht immer der Genitiv!

DER FINALSATZ

- Finalsätze sind eingeleitete **Nebensätze.**
- Es handelt sich um **Adverbialsätze.**
- Bei finalen Satzverbindungen werden zwei Sätze verbunden, bei denen der **zweite** Satz die **Absicht** bzw. den **Zweck einer Aktion** beschreibt.
- Die entsprechenden Fragewörter lauten: **Wozu?; Zu welchem Zweck?; Mit welcher Absicht?**

FINALSÄTZE
DRÜCKEN EINE ABSICHT, EINEN ZWECK ODER EIN ZIEL AUS!

DIE VERBINDUNGSWÖRTER SIND:

| DAMIT | DASS | UM....ZU |

Beispiele

1) Wir kaufen uns ein Auto, **um** endlich einmal zusammen Urlaub machen **zu** können.
2) Ich muss täglich Tabletten nehmen, **damit** ich keine Schmerzen habe.
3) Ich ziehe im Winter meine dicke Jacke an, **um** nicht frieren zu müssen.
4) Ich fahre frühzeitig zum Flughafen, **damit** ich meinen Flug nicht versäume.

DER FRAGESATZ

- **Fragesätze (Interrogativsätze)** dienen dazu, Fragen zu formulieren.
- Es gibt zwei Arten von Fragesätzen:
  - a) **Entscheidungsfragen** und
  - b) **Ergänzungsfragen**

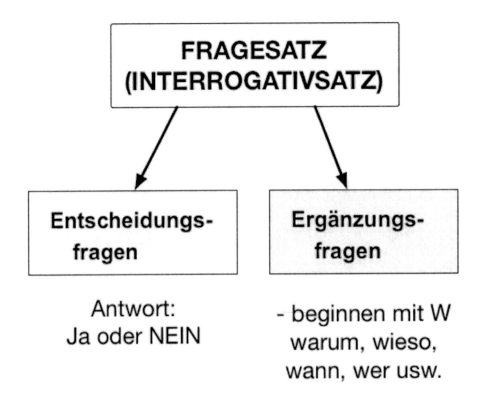

DIE WICHTIGSTEN FRAGEWÖRTER

Fragewörter, wie z.B. „wann", „wo", „wie" usw. leiten einen Fragesatz ein!

wann:	**Frage nach dem Zeitpunkt**
warum:	**Frage nach dem Grund**
wie lange:	**Frage nach der Dauer**
wie:	**Frage nach der Art und Weise**
wie oft:	**Frage nach der Häufigkeit**
wie viel:	**Frage nach der Menge bzw. Anzahl**
wo:	**Frage nach dem Ort**
woher:	**Frage nach der Richtung**
wohin:	**Frage nach der Richtung**

Beispiele

1. **Wann** fährt Mohammed zu seinem Onkel?

   - *Mohammed fährt in drei Wochen zu seinem Onkel.*

2. **Warum** fährt Mohammed zu seinem Onkel?

   - *Der Onkel von Mohammed ist krank.*

3. **Wie** fährt Mohammed zu seinem Onkel?

   - *Mohammed fährt mit der S-Bahn S3.*

4. **Wie lange** fährt Mohammed zu seinem Onkel?

   - *Mohammed fährt ca. 30 Minuten.*

5. **Wie oft** fährt Mohammed zu seinem Onkel?

   - *Mohammed fährt dreimal in der Woche.*

6. **Wieviel** musste Mohammed für die Fahrt zu seinem Onkel bezahlen?

   - *Die Einzelfahrkarte hat 2,50 EURO gekostet.*

7. **Wo** wohnt Mohammeds Onkel?

   - *Mohammeds Onkel wohnt in Billstedt.*

8. **Woher** kommt Mohammed und **wohin** fährt er?

   - *Mohammed kommt von Harburg und fährt nach Billstedt.*

Adverbien: Fragewörter   z.B. wo + Präposition

wovon: Frage nach einer Sache

woran: Frage nach einer Sache

von wem: Frage nach einer Person

Merke:

> Die Fragewörter „wovon, woran, worüber, worauf" werden
> nicht dekliniert!

> Fragen nach Personen werden mit einer Präposition +
> Fragepronomen „wer, wen,wem" gebildet.
>
> *Fragepronomen werden dekliniert!*

Beispiele

1. **Wovon** träumt Aboud?

   - Aboud träumt von einer neuen Wohnung.

2. **Worüber** denkst du nach?

   - Ich denke über meine alte Heimat nach.

3. **Mit wem** gehst du in´s Kino?

   - Ich gehe mit Karin ins Kino.

4. **Worüber** lachen die Kinder?

   - Die Kinder lachen über den Zirkusclown.

FRAGESÄTZE MIT W - FRAGEN

- Eine W-Frage ist eine Frage in Form eines Fragesatzes, der mit einem fragenden Fürwort (Interrogativpronomen) beginnt.
- W-Fragen sind sogenannte offene Fragen, daher kann man eine W-Frage nicht mit „JA" oder „NEIN" beantworten.
- Eine W- Frage bietet für den Antwortenden eine breit gefächerte Möglichkeit in verschiedenen Richtungen zu antworten.
- Um ein Gespräch einzuleiten eignet sich eine offene W-Frage perfekt dafür.

Weitere W-Fragefürwörter sind z.B.

- Wobei?
- Woran?
- Wohin?
- Wovor?
- Wodurch?
- Woraus?

Beispiele für W-Fragen

DIREKTE REDE	INDIREKTE REDE
Er sagte: „Ich werde es gut finden."	Er sagte, dass er es gut finden würde.
Er sagte: Ich werde es gut gefunden haben.	Er sagte, er würde es wohl gut gefunden haben.
Meine Schwester sagt: „Ich gehe mit dir ins Kino."	Meine Schwester sagt, dass sie mit mir ins Kino gehen würde.
Mein Mutter sagt: „Morgen werde ich dir einen Kuchen backen."	Meine Mutter sagt, dass sie mir morgen einen Kuchen backen würde.
Die Verkäuferin behauptete: „Der Mann hat seine Rechnung nicht bezahlt!"	Die Verkäuferin behauptete, der Mann hätte seine Rechnung nicht bezahlt.
Die Mutter sagt zu ihren Kindern: „Ihr könnt auch draußen spielen!"	Die Mutter sagt zu ihren Kindern, sie könnten auch draußen spielen.
Mohamed sagte: „Es war gestern sehr kalt."	Mohamed sagte, gestern wäre es sehr kalt gewesen.

DIREKTE REDE	INDIREKTE REDE
Er sagte: „Ich hatte deinen Musikvortrag gut gefunden."	Er sagte, er hätte meinen Musikvortrag gut gefunden.
Der Mann sagte: „Sarah, ich liebe dich!"	Der Mann sagte Sarah, er liebe sie.
Meine Schwester sagt: „Ich gehe mit dir ins Kino."	Meine Schwester sagt, dass sie mit mir in Kino gehen würde.
Mein Mann sagt: „Meine Mama hat uns einen Kuchen gebacken."	Mein Mann sagt, seine Mama habe für uns einen Kuchen gebacken.
Die Verkäuferin behauptete: „Der Mann hatte seine Rechnung nicht bezahlt!"	Die Verkäuferin behauptete, der Mann hätte seine Rechnung nicht bezahlt.
Die Mutter sagt zu ihren Kindern: „Ihr könnt auch draußen spielen!"	Die Mutter sagt zu ihren Kindern, sie könnten auch draußen spielen.
Mohamed sagte: „Es war draußen sehr kalt."	Mohamed sagte, es wäre draußen sehr kalt.
Tawil sagte: „Ich gehe morgen ins Café Refugio."	Tawil sagte, er gehe morgen ins Café Refugio.
Die Frau fragt: „Wo sind die Toiletten?"	Die Frau fragt, wo die Toiletten seien.
Mein Nachbar gab an: „Mein Auto war teuer gewesen!"	Mein Nachbar gab an, dass sein Auto teuer gewesen wäre.
Der Zuschauer fragt: „Hat das Fussballspiel pünktlich begonnen?"	Der Zuschauer fragt, ob das Fußballspiel pünktlich begonnen habe.
Das Mädchen fragt mich: „Ist der Sitzplatz neben Ihnen noch frei?"	Das Mädchen fragt mich, ob der Sitzplatz neben mir noch frei sei.

264

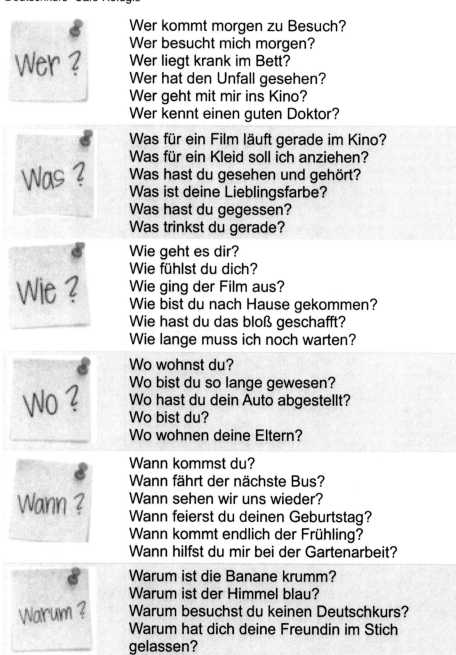

Wer ?
Wer kommt morgen zu Besuch?
Wer besucht mich morgen?
Wer liegt krank im Bett?
Wer hat den Unfall gesehen?
Wer geht mit mir ins Kino?
Wer kennt einen guten Doktor?

Was ?
Was für ein Film läuft gerade im Kino?
Was für ein Kleid soll ich anziehen?
Was hast du gesehen und gehört?
Was ist deine Lieblingsfarbe?
Was hast du gegessen?
Was trinkst du gerade?

Wie ?
Wie geht es dir?
Wie fühlst du dich?
Wie ging der Film aus?
Wie bist du nach Hause gekommen?
Wie hast du das bloß geschafft?
Wie lange muss ich noch warten?

Wo ?
Wo wohnst du?
Wo bist du so lange gewesen?
Wo hast du dein Auto abgestellt?
Wo bist du?
Wo wohnen deine Eltern?

Wann ?
Wann kommst du?
Wann fährt der nächste Bus?
Wann sehen wir uns wieder?
Wann feierst du deinen Geburtstag?
Wann kommt endlich der Frühling?
Wann hilfst du mir bei der Gartenarbeit?

Warum ?
Warum ist die Banane krumm?
Warum ist der Himmel blau?
Warum besuchst du keinen Deutschkurs?
Warum hat dich deine Freundin im Stich gelassen?
Warum ist dein Freund weggelaufen?
Warum kommst du zu spät zum Unterricht?

Wieso bist du so schlecht aufgelegt?
Wieso ärgerst du mich ständig?
Wieso gibt es heute keine Dinosaurier mehr?
Wieso bekomme ich nichts zum Essen?
Wieso besucht mich meine Freundin nicht mehr?
Wieso ist deine Wohnung so kalt?

Weshalb guckst du so böse?
Weshalb kommst du nicht mit ins Stadion?
Weshalb liegst du solange im Bett?
Weshalb machst du ein so trauriges Gesicht?
Weshalb kann ein Vogel fliegen und eine Katze nicht?
Weshalb gehst du nicht in die Schule?

Weswegen schämst du dich?
Weswegen kommst du zu spät zum Deutschkurs?
Weswegen hast du schon am Monatsanfang kein Geld mehr?
Weswegen fährst du dieses Jahr nicht in Urlaub?

Woher kommt dein plötzlicher Sinneswandel?
Woher weißt du das?
Woher kommen Sie?
Woher haben Sie das viele Geld?
Woher soll ich wissen, ob du mich liebst?

Wessen Jacke ist dies?
Wessen Interessen vertreten unsere Politiker?
Wessen gedenken wir am Volkstrauertag?
Wessen nahmen sie sich an?
Wessen Auto wurde wegen Falschparkens abgeschleppt?

Womit kann ich Ihnen dienen?
Womit kann ich dir behilflich sein?
Womit verdient er seine Brötchen?
Womit fahren wir ins Fußballstadion?
Womit kann ich meinen Erkältung bekämpfen?

DER KONJUNKTIV

Unter **Modus** verstehen wir **die Aussageweise der Verben**.

Es gibt drei verschiedene Modi (Modi = Plural von Modus), also drei
verschiedene Aussageweisen.
1. Wirklichkeitsform:
Um eine tatsächliche Begebenheit auszudrücken, verwendet man den
Indikativ (Modus der Wirklichkeit).
2. Möglichkeitsform:
Um einen Wunsch, eine Möglichkeit auszudrücken, verwendet man den
Konjunktiv (Modus des Wunsches, der Möglichkeit).
3. Befehlsform:
Der **Imperativ** ist der Modus des Befehls oder der Aufforderung.

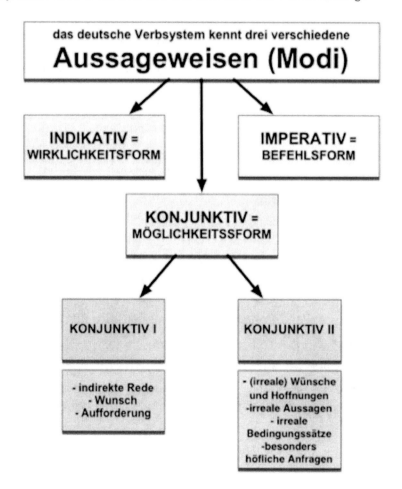

Für nicht Deutsch sprechende Menschen ist der **Konjunktiv** wirklich sehr schwer zu erlernen.
- Wir unterscheiden zwischen **Konjunktiv I** und **Konjunktiv II**.
- In der deutschen Sprache wird der Konjunktiv für die **indirekte** Rede benutzt.
- Der Konjunktiv ist die **Möglichkeitsform**.
- Den Konjunktiv I können wir im Präsens, Perfekt und Futur bilden.

Der **Konjunktiv I** wird mit dem Wortstamm des <u>Infinitiv</u> gebildet:

INDIKATIV	KONJUNKTIV
Die Mutter sagt: „Heute koche ich Grießbrei.“	Die Mutter sagt, dass sie heute Grießbrei **koche**.
Tim sagt: „Ich lerne gerne Deutsch“.	Tim sagt, er **lerne** gerne Deutsch.
Tina sagt: „Es ist sehr kalt.“	Tina sagt, es **sei** sehr kalt.
Tim sagt: „Ich schreibe niemals ab.“	Tim sagt, er **schreibe** niemals ab.
Tina sagt: „Ein Dieb hat mir das Fahrrad gestohlen.“	Tina sagt, ein Dieb **habe** ihr das Fahrrad gestohlen.
Der Wetterbericht sagt: „Morgen wird es regnen.“	Der Wetterbericht sagt, dass es morgen **regnen werde**.
Mein Lehrer sagt: „Man muss jeden Tag seine Hausaufgaben machen“.	Mein Lehrer sagt, man **müsse** jeden Tag seine Hausaufgaben machen.
Ahmed stellte fest: „Das Essen ist teurer geworden."	Ahmed stellte fest, das Essen **sei** teurer geworden.
Meine kleine Schwester denkt: „Ein Zitronenfalter faltet Zitronen.“	Meine kleine Schwester denkt, ein Zitronenfalter **falte** Zitronen.
Der Tierarzt erklärte: „Der Hund muss jedes Jahr geimpft werden.“	Der Tierarzt erklärte, der Hund **müsse** jedes Jahr geimpft werden.
Der Polizist sagt: Es ist nicht erlaubt im Halteverbot zu stehen.“	Der Polizist sagt, es **sei** nicht erlaubt im Halteverbot zu stehen.

Konjunktiv I von **haben** und **sein:**

	sein	**haben**
ich	sei	habe
du	seiest	habest
er/sie/es/man	sei	habe
wir	seien	haben
ihr	seiet	habet
sie/Sie	seien	haben

Konjunktiv I von den Modalverben **können, müssen, dürfen und wollen:**

	können	**müssen**
ich	könne	müsse
du	könnest	müssest
er/sie/es/man	könne	müsse
wir	können	müssen
ihr	könnet	müsset
sie/Sie	können	müssen
	dürfen	**wollen**
ich	dürfe	wolle
du	dürfest	wollest
er/sie/es/man	dürfe	wolle
wir	dürfen	wollen
ihr	dürfet	wollet
sie/Sie	dürfen	wollen

DER KONJUNKTIV II

- Der **Indikativ** wird benutzt für Aussagen in der Wirklichkeit, der realen Welt. Beispiel: Ich **habe** einen reichen Vater.
- Der **Konjunktiv II** wird benutzt für das Reich der Träume, der Traumwelt. Beispiel: Ach, **hätte** ich doch einen reichen Vater!

Wenn die **reale Welt** oft sehr trist ist, erscheint uns die **Wunschwelt im Konjunktiv II** dagegen sehr rosig.

Die Wunschwelt bleibt aber wahrscheinlich ein Traum und somit irreal.

Konjunktiv II wird vor allem gebraucht bei irrealen Wünschen, irrealen Bedingungssätzen, irrealen Vergleichen, und höflichen Bitten.

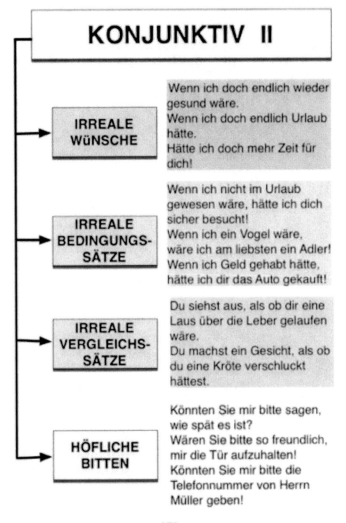

KONJUNKTIV II

IRREALE WÜNSCHE
Wenn ich doch endlich wieder gesund wäre.
Wenn ich doch endlich Urlaub hätte.
Hätte ich doch mehr Zeit für dich!

IRREALE BEDINGUNGS-SÄTZE
Wenn ich nicht im Urlaub gewesen wäre, hätte ich dich sicher besucht!
Wenn ich ein Vogel wäre, wäre ich am liebsten ein Adler!
Wenn ich Geld gehabt hätte, hätte ich dir das Auto gekauft!

IRREALE VERGLEICHS-SÄTZE
Du siehst aus, als ob dir eine Laus über die Leber gelaufen wäre.
Du machst ein Gesicht, als ob du eine Kröte verschluckt hättest.

HÖFLICHE BITTEN
Könnten Sie mir bitte sagen, wie spät es ist?
Wären Sie bitte so freundlich, mir die Tür aufzuhalten!
Könnten Sie mir bitte die Telefonnummer von Herrn Müller geben!

Wie wird der Konjunktiv II gebildet?

- Den **Konjunktiv II** der Verben in der Gegenwartsform bildet man bei den meisten Verben mit der Form von „**würde**" und dem **Infinitiv des Verbs**.

	würde
ich	würde
du	würdest
er / sie / es / man	würde
wir	würden
ihr	würdet
sie /Sie	würden

- Bei den Verben „**sein**" und „**haben**" bildet man den Konjunktiv II aus der **Präteritum-Form der Verben**. Aus „war" wird „**wäre**" und aus „hatte" wird „**hätte**".

	sein	haben
ich	wäre	hätte
du	wärest	hättest
er / sie / es / man	wäre	hätte
wir	wären	hätten
ihr	wäret	hättet
sie /Sie	wären	hätten

- Die **unregelmäßigen Verben** bilden die **Konjunktiv II** Formen in der Regel mit einem Umlaut (**käme, täte, wäre, hätte** etc.).

Zusammenfassung:

Den **Konjunktiv II** kann man mit dem Hilfsverb „**würden**" bilden.
Es gibt aber auch Verben, die eine **eigene Konjunktiv II - Form** haben.
Die Bildung erfolgt dann mit: **PRÄTERITUMFORM + UMLAUT**

Beispiele für Konjunktiv II - Formen:

INFINITIV	PRÄ-TERITUM	KON-JUNKTIV II	ich/er/sie/es	du	wir/Sie/sie	ihr
sein	waren	wären	wäre	wärest	wären	wäret
haben	hatten	hätten	hätte	hättest	hätten	hättet
werden	wurden	würden	würde	würdest	würden	würdet
lassen	ließen	ließen	ließe	ließest	ließen	ließet
wissen	wussten	wüssten	wüsste	wüsstest	wüssten	wüsstet
gehen	gingen	gingen	ginge	gingest	gingen	ginget
kommen	kamen	kämen	käme	kämest	kämen	käm(e)t
finden	fanden	fänden	fände	fändest	fänden	fändet
schlafen	schliefen	schliefen	schliefe	schliefest	schliefen	schlief(e)t
dürfen	durften	dürften	dürfte	dürftest	dürften	dürftet
können	konnten	könnten	könnte	könntest	könnten	könntet
wollen	wollten	wollten	wollte	wolltest	wollten	wolltet
sollen	sollten	sollten	sollte	solltest	sollten	solltet
müssen	mussten	müssten	müsste	müsstest	müssten	müsstet
mögen	mochten	möchten	möchte	möchtest	möchten	möchtet

Beispiele

Ich habe keine Freundin.	**Ach, hätte** ich doch eine Freundin.
Ich habe nichts zum Essen.	**Hätte** ich doch etwas zum Essen.
Wir wohnen in einem Zelt.	**Würden** wir doch nur in einem Haus wohnen.
Du gewinnst nie im Lotto.	**Hättest** du doch mal im Lotto gewonnen.
Ich finde keine Wohnung.	**Fände** ich doch eine Wohnung.
Ich weiss es nicht.	**Wüßte** ich es doch.

DIREKTE & INDIREKTE REDE

Bei einer **direkten** Rede wird das Gespräch **wörtlich** wiedergegeben.

Beispiel: Andreas sagte zu seinem Vater: „Heute komme ich
              pünktlich nach Hause".

* Wir benutzen die **indirekte** Rede immer dann, wenn wir berichten, was jemand gesagt hat.
* Wir geben bei der **indirekten** Rede nicht den exakten Wortlaut   (= wörtliche Rede), sondern nur den Inhalt sinngemäß wieder.
* Bei der **Umformung von direkter Rede in die indirekte Rede** wird das Verb vom Indikativ in den **Konjunktiv I** und die Pronomen von der ersten in die dritte Person gesetzt.

Beispiel: Andreas sagte zu seinem Vater, dass er abends
              pünktlich nach Hause kommen würde".

Vergleich zwischen direkter und indirekter Rede

DIREKTE REDE	INDIREKTE REDE
ANFÜHRUNGSZEICHEN	KEIN ANFÜHRUNGSZEICHEN
KEINE KONJUNKTION	KEINE KONJUNKTION oder KONJUNKTION *DASS*
SPRECHPAUSE (mündliche Sprache)	KEINE SPRECHPAUSE
INDIKATIV	KONJUNKTIV
FRAGE-oder AUSRUFEZEICHEN	KEINE FRAGE- oder AUSRUFEZEICHEN

Die **indirekte** Rede kann man durch folgende Wendungen einleiten:

- Sie fragt(e), ...
- Er berichtet(e), ...
- Er sagt(e), ...
- Wir stellen fest, ...
- Sie meinten, ...
- Er behauptet(e), ...
- Sie gibt/gab an, ...
- Ihr erklärt(et), ...
- Sie erzählt(e), ...
- usw.

Es gibt verschiedenen Möglichkeiten, die direkte Rede in eine indirekte Rede umzuwandeln.

Zum Beispiel: Mohamed behauptet: „ Ich habe mich nicht getäuscht".

Möglichkeit 1: Konjunktiv

Mohamed behauptet, er habe sich nicht getäuscht.

Möglichkeit 2: Nebensatz + Konjunktiv

Mohamed behauptet, dass er sich nicht getäuscht habe.

Möglichkeit 3: Infinitivkonstruktion

Mohamed behauptet, sich nicht getäuscht zu haben.

Beispiele für direkte und indirekte Rede:

AKTIV & PASSIV

Die deutsche Sprache kennt **Aktivsätze** und **Passivsätze**.

- Aktiv oder Passiv - Alles ist eine **Frage der Sichtweise**.
- Aktiv, die Tätigkeitsform *(Agens)*, und Passiv, die Leideform *(Patiens)*, sind die beiden im Deutschen vorkommenden **Handlungsrichtungen**.
  - Der Löwe jagt die Gazelle (= **AKTIV**)
  - Die Gazelle wird vom Löwen gejagt. (=**PASSIV**)

In unserem Beispiel kommt es auf die Sichtweise an:
Jage ich oder werde ich gejagt?

- Im Aktiv liegt der Schwerpunkt auf den „Antreiber" (=Agens). (Das Satzglied wird zum Thema.)
- Im Passiv sind alle Augen auf den „Dulder" (= Patiens) gerichtet.

Die Satzglieder werden in Form eines Kreuzes vertauscht:

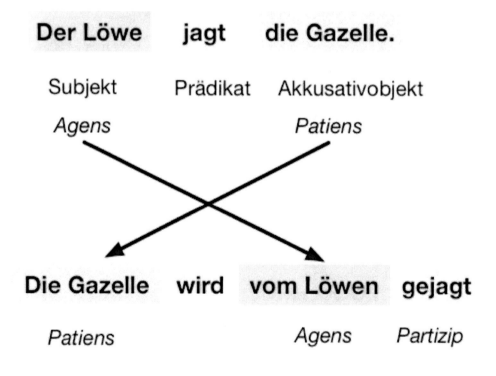

In den **Aktivsätzen** steht die handelnde Person bzw. das Subjekt im Mittelpunkt.
Die „W-Frage" lautet daher **WER?**

Beispiel: **Der Lehrer** schreibt einen Satz an die Tafel?
              Wer schreibt einen Satz an die Tafel?

In den **Passivsätzen** steht nicht die handelnde Person, sondern das Geschehen (die Aktion) im Mittelpunkt.
Wie „W-Frage" lautet daher **WAS?**

Beispiel: **Ein Satz wird** vom Lehrer an die Tafel geschrieben _oder_
              Ein Satz ist vom Lehrer an die Tafel geschrieben worden.
              Was wird an die Tafel geschrieben?

Wer etwas an die Tafel schreibt, ist im Passiv für den Vorgang nicht wichtig.
Beim Passiv sind die handelnden Personen nicht bekannt, unwichtig oder nicht vorhanden.
Wie wir an dem Beispiel gesehen haben, gibt es **2 Passivformen**:

1. DAS VORGANGSPASSIV   (werden-Passiv)

Im Alltag wird in der Regel das Vorgangspassiv verwendet.
Das Vorgangspassiv ist die Form des Passivs, die mit **werden** und dem
Partizip Perfekt gebildet wird:

AKTIV	PASSIV
Ich backe einen Kuchen	Ein Kuchen wird (von mir) **gebacken**.
Tim wäscht sein Auto.	Sein Auto wird (von Tim) **gewaschen**.
Tina gibt mir meinen Schlüssel zurück.	Meinen Schlüssel wird mir (von Tina) **zurückgegeben**.
Der Lehrer fragt den Schüler.	Der Schüler wird (von dem Lehrer) **gefragt**.
Die Mutter kochte gestern einen Brei.	Ein Brei wurde gestern (von der Mutter) **gekocht**.
Ein Dieb stahl das Fahrrad.	Das Fahrrad wurde (von einem Dieb) **gestohlen**.
Das Kind wirft den Ball.	Der Ball wird (von dem Kind) **geworfen**.
Ahmed kaufte Bananen.	Bananen wurden (von Ahmed) **gekauft**.
Tina und Tim trinken den Saft.	Der Saft wird (von Tina und Tim) **getrunken**.
Tina und Tim tranken den Saft.	Der Saft wurde (von Tina und Tim) **getrunken**.
Tina und Tim haben den Saft getrunken.	Der Saft ist (von Tina und Tim) **getrunken worden**
Tina und Tim hatten den Saft getrunken.	Der Saft war(von Tina und Tim) **getrunken worden**
Tina und Tim werden den Saft trinken.	Der Saft wird (von Tina und Tim) **getrunken werden**.

Beispiele für Vorgangspassiv Verbformen

lieben	Präsens	Präteritum	Futur
ich	werde geliebt	wurde geliebt	werde geliebt werden
du	wirst geliebt	wurdest geliebt	wirst geliebt werden
er/sie/es/man	wird geliebt	wurde geliebt	wird geliebt werden
wir	werden geliebt	wurden geliebt	werden geliebt werden
ihr	werdet geliebt	wurdet geliebt	werdet geliebt werden
sie/Sie	werden geliebt	wurden geliebt	werden geliebt werden

fragen	Präsens	Präteritum	Futur
ich	werde gefragt	wurde gefragt	werde gefragt werden
du	wirst gefragt	wurdest gefragt	wirst gefragt werden
er/sie/es/man	wird gefragt	wurde gefragt	wird gefragt werden
wir	werden gefragt	wurden gefragt	werden gefragt werden
ihr	werdet gefragt	wurdet gefragt	werdet gefragt werden
sie/Sie	werden gefragt	wurden gefragt	werden gefragt werden

retten	Präsens	Präteritum	Futur
ich	werde gerettet	wurde gerettet	werde gerettet werden
du	wirst gerettet	wurdest gerettet	wirst gerettet werden
er/sie/es/ man	wird gerettet	wurde gerettet	wird gerettet werden
wir	werden gerettet	wurden gerettet	werden gerettet werden
ihr	werdet gerettet	wurdet gerettet	werdet gerettet werden
sie/Sie	werden gerettet	wurden gerettet	werden gerettet werden

einladen	Präsens	Präteritum	Futur
ich	werde eingeladen	wurde eingeladen	werde eingeladen werden
du	wirst eingeladen	wurdest eingeladen	wirst eingeladen werden
er/sie/es/ man	wird eingeladen	wurde eingeladen	wird eingeladen werden
wir	werden eingeladen	wurden eingeladen	werden eingeladen werden
ihr	werdet eingeladen	wurdet eingeladen	werdet eingeladen werden
sie/Sie	werden eingeladen	wurden eingeladen	werden eingeladen werden

wiegen	Präsens	Präteritum	Futur
ich	werde gewiegt	wurde gewiegt	werde gewiegt werden
du	wirst gewiegt	wurdest gewiegt	wirst gewiegt werden
er/sie/es/ man	wird gewiegt	wurde gewiegt	wird gewiegt werden
wir	werden gewiegt	wurden gewiegt	werden gewiegt werden
ihr	werdet gewiegt	wurdet gewiegt	werdet gewiegt werden
sie/Sie	werden gewiegt	wurden gewiegt	werden gewiegt werden

verletzen	Präsens	Präteritum	Futur
ich	werde verletzt	wurde verletzt	werde verletzt werden
du	wirst verletzt	wurdest verletzt	wirst verletzt werden
er/sie/es/ man	wird verletzt	wurde verletzt	wird verletzt werden
wir	werden verletzt	wurden verletzt	werden verletzt werden
ihr	werdet verletzt	wurdet verletzt	werdet verletzt werden
sie/Sie	werden verletzt	wurden verletzt	werden verletzt werden

2. DAS ZUSTANDSPASSIV (sein-Passiv)

- Im Alltag wird in der Regel das **Vorgangspassiv** verwendet.
- Daneben gibt es noch das **Zustandspassiv**.
- **Das Zustandspassiv** ist die Form des Passivs, das mit *sein* und dem **Partizip Perfekt** gebildet wird.
- **Das Zustandspassiv** kann oft vom Vorgangspassiv abgeleitet werden. Dabei werden die Formen des Hilfsverbs *werden* durch die Formen des Hilfsverbs *sein* ersetzt.

AKTIV	PASSIV
Ich backe den Kuchen	Der Kuchen ist **gebacken**.
Tim wäscht das Auto.	Das Auto ist **gewaschen**.
Tina gibt mir den Schlüssel zurück.	Der Schlüssel ist **zurückgegeben**.
Der Lehrer fragt den Schüler.	Der Schüler ist **gefragt**.
Die Mutter kochte gestern einen Brei.	Ein Brei war **gekocht**.
Ein Dieb stahl das Fahrrad.	Das Fahrrad war **gestohlen**.
Ahmed kaufte Bananen.	Bananen waren **gekauft**.
Tina und Tim trinken den Saft.	Der Saft ist **getrunken**.
Tina und Tim tranken den Saft.	Der Saft war **getrunken**.
Tina und Tim haben den Saft getrunken.	Der Saft ist **getrunken gewesen**.
Tina und Tim hatten den Saft getrunken.	Der Saft war **getrunken gewesen**.
Tina und Tim werden den Saft trinken.	Der Saft **wird getrunken sein**.
Tina und Tim lieben Musik von Beethoven.	*entfällt* (von „lieben" gibt es keine Zustandspassivformen!)

Beispiele für Zustandspassiv Verbformen

fragen	Präsens	Präteritum	Futur
ich	bin gefragt	war gefragt	werde gefragt sein
du	bist gefragt	warst gefragt	wirst gefragt sein
er/sie/es/man	ist gefragt	war gefragt	wird gefragt sein
wir	sind gefragt	waren gefragt	werden gefragt sein
ihr	seid gefragt	wart gefragt	werdet gefragt sein
sie/Sie	sind gefragt	waren gefragt	werden gefragt sein

kommen	Präsens	Präteritum	Futur
ich	bin gekommen	war **gekommen**	werde gekommen sein
du	bist gekommen	warst **gekommen**	wirst gekommen sein
er/sie/es/man	ist gekommen	war **gekommen**	wird gekommen sein
wir	sind gekommen	waren **gekommen**	werden gekommen sein
ihr	seid gekommen	wart gekommen	werdet gekommen sein
sie/Sie	sind gekommen	waren gekommen	werden gekommen sein

retten	Präsens	Präteritum	Futur
ich	bin gerettet	war gerettet	werde gerettet sein
du	bist gerettet	warst gerettet	wirst gerettet sein
er/sie/es/ man	ist gerettet	war gerettet	wird gerettet sein
wir	sind gerettet	waren gerettet	werden gerettet sein
ihr	seid gerettet	wart gerettet	werdet gerettet sein
sie/Sie	sind gerettet	waren gerettet	werden gerettet sein

einladen	Präsens	Präteritum	Futur
ich	bin eingeladen	war eingeladen	werde eingeladen sein
du	bist eingeladen	warst eingeladen	wirst eingeladen sein
er/sie/es/ man	ist eingeladen	war eingeladen	wird eingeladen sein
wir	sind eingeladen	waren eingeladen	werden eingeladen sein
ihr	seid eingeladen	wart eingeladen	werdet eingeladen sein
sie/Sie	sind eingeladen	waren eingeladen	werden eingeladen sein

verletzen	Präsens	Präteritum	Futur
ich	bin verletzt	war verletzt	werde verletzt sein
du	bist verletzt	warst verletzt	wirst verletzt sein
er/sie/es/ man	ist verletzt	war verletzt	wird verletzt sein
wir	sind verletzt	waren verletzt	werden verletzt sein
ihr	seid verletzt	wart verletzt	werdet verletzt sein
sie/Sie	sind verletzt	waren verletzt	werden verletzt sein

wiegen	Präsens	Präteritum	Futur
ich	bin gewiegt	war gewiegt	werde gewiegt sein
du	bist gewiegt	warst gewiegt	du wirst gewiegt sein
er/sie/es/ man	ist gewiegt	war gewiegt	wird gewiegt sein
wir	sind gewiegt	waren gewiegt	wir werden gewiegt sein
ihr	seid gewiegt	wart gewiegt	ihr werdet gewiegt sein
sie/Sie	sind gewiegt	waren gewiegt	sie werden gewiegt sein

PASSIV MIT MODALVERB

- Für die **Modalverben „wollen, sollen, können, dürfen, können und müssen"** können **nicht ins Passiv** gesetzt werden.
- Die Modalverben können aber alle **einen Passivinfinitiv eines Vollverbs** regieren.
- Man kann beim **Passiv mit Modalverb** wird zwischen dem **persönlichen** und dem **unpersönlichen Passiv** unterscheiden.
- Das **persönliche Passiv** kann nur mit Verben gebildet werden, die ein **Akkusativobjekt** zulassen. Das **unpersönliche Passiv** ist nur möglich, wenn der ursprüngliche Aktivsatz **kein** Akkusativobjekt enthält.
- Beim **unpersönlichen Passiv** gilt folgende Regel: Wenn im Aktivsatz kein Akkusativobjekt vorhanden ist, ist **"es"** das Subjekt des Passivsatzes. Tritt ein anderes Satzglied an die erste Stelle des Satzes, muss **"es"** wegfallen.

Beispiele für das **unpersönliche Passiv**:

AKTIV	PASSIV
Man **muss** Freunden im Camp helfen.	Es **muss** Freunden im Camp geholfen werden.
Man **kann** ihrem Freund nicht glauben.	Es **kann** ihrem Freund nicht geglaubt werden.
Man **kann** mir vertrauen.	Es **kann** mir vertraut werden.
Man **darf** den Hunden das Betreten des Rasens verbieten.	Es **darf** den Hunden das Betreten des Rasens verboten werden.
Man sollte jetzt **singen**.	Es sollte jetzt **gesungen werden**.
Man kann alles **nachprüfen**.	Alles kann **nachgeprüft werden**.
Man darf Gitarrespielen **üben**.	Es darf das Gitarrenspielen **geübt werden**.
Man darf hier nicht **rauchen**.	Es darf hier nicht **geraucht werden**.
Man soll alles **nachkontrollieren**.	Alles soll **nachkontrolliert werden**.

Man soll noch heute Bananen **einkaufen**.	Es sollen noch heute Bananen **eingekauft werden**.
Man muss am Wahlergebnis **zweifeln**.	Es muss am Wahlergebnis **gezweifelt werden**.
Auf dem Amt muss man viele Formulare **ausfüllen**.	Es müssen auf dem Amt viele Formulare **ausgefüllt werden**.
Zuerst muss man die Hausaufgaben **machen**.	Zuerst müssen die Hausaufgaben **gemacht werden**.

Beim persönlichen Passiv wird das **Akkusativobjekt** im Aktiv zum **Subjekt** des Passivsatzes.

Beispiele für das **persönliche Passiv**:

AKTIV	PASSIV
Meine Mutter **muss** einen Kuchen backen.	Ein Kuchen **muss** gebacken werden.
Der Hund **muss** das Haus bewachen.	Das Haus **muss** bewacht werden.
Die Kinder **dürfen** einen Geburtstag feiern.	Ein Geburtstag **darf** gefeiert werden.
Hans, Heinrich und Helmut **können** Skat spielen.	Skat **kann** gespielt werden.
Die Kinder **dürfen** den Saft trinken.	Der Saft **darf** getrunken werden.
Tim **soll** das Auto waschen.	Das Auto **soll** gewaschen werden.
Tina **kann** mir morgen den Schlüssel zurückgeben.	Der Schlüssel ist **kann** mir morgenzurückgegeben werden.
Der Schüler **sollte** regelmäßig die Hausaufgaben machen.	Die Hausaufgaben **sollten** regelmäßig gemacht werden.

NOMINALISIERUNG VON ADJEKTIVEN

Viele Substantive haben bestimmte Endungen, wie z.B.

- **„-tum"** (Eigen**tum**, Reich**tum**, Besitz**tum**, usw.)
- **„-heit"** (Schön**heit**, Bekannt**heit**, Fremd**heit** usw.)
- **„-keit"** (Obdachlosig**keit**, Undankbar**keit**, Gutmütig**keit** usw.).

Diese Substantive können aus Adjektiven hergeleitet werden.

- Viele Adjektive können Nomen werden, wenn man **„-ung, -heit, -keit, -tum, -nis, -sal, -ling"** an das Adjektiv anhängt.

Beispiele zur Nominalisierung von Adjektiven:

ADJEKTIV	NOMEN (SUBSTANTIV)
müde	Müdig**keit**
elegant	Elegant**heit**
köstlich	Köstlich**keit**
bescheiden	Bescheiden**heit**
eitel	Eitel**keit**
hässlich	Hässlich**keit**
dankbar	Dankbar**keit**
reserviert	Reserviert**heit**
dumm	Dumm**heit**
frei	Frei**heit**
schnell	Schnellig**keit**
böse	Bos**heit**
freundlich	Freundlich**keit**

ADJEKTIV	NOMEN (SUBSTANTIV)
arbeitslos	Arbeitslosig**keit**
gefährlich	Gefährlich**keit**
klug	Klug**heit**
klar	Klar**heit**
schnell	Schnellig**keit**
gerade	Gerad**heit**
lieb	Lieb**schaft**
verrückt	Verrückt**heit**
verliebt	Verliebt**heit**
heiter	Heiter**keit**
einsam	Einsam**keit**
verschwiegen	Verschwiegen**heit**
wild	Wild**heit**
grob	Grob**heit**
schlau	Schlau**heit**
tapfer	Tapfer**keit**
bunt	Bunt**heit**
krank	Krank**heit**
gesund	Gesund**heit**
langsam	Langsam**keit**
sportlich	Sportlich**keit**
dunkel	Dunkel**heit**

ADJEKTIV	NOMEN (SUBSTANTIV)
hell	Hellig**keit**
lahm	Lahm**heit**
giftig	Giftig**keit**
köstlich	Köstlich**keit**
leichtsinnig	Leichtsinnig**keit**
offen	Offen**heit**
platt	Platt**heit**
sauber	Sauber**keit**
schädlich	Schädlich**keit**
schlank	Schlank**heit**
schwach	Schwach**heit**
spitzfindig	Spitzfindig**keit**
steil	Steil**heit**
stumpf	Stumpf**heit**
trocken	Trocken**heit**
ungeschickt	Ungeschickt**heit**
ungesund	Ungesund**heit**
vorsichtig	Vorsichtig**keit**
verkehrssicher	Verkehrssicher**heit**
verletzt	Verletzt**heit**
warmherzig	Warmherzig**keit**
weich	Weich**heit**

ADJEKTIV	NOMEN (SUBSTANTIV)
winzig	Winzig**keit**
zahm	Zahm**heit**
zärtlich	Zärtlich**keit**
angeekelt	Angeekelt**heit**
entspannt	Entspannt**heit**
erregt	Erregt**heit**
unbekümmert	Unbekümmert**heit**
unsicher	Unsicher**heit**
mutlos	Mutlosig**keit**
behutsam	Behutsam**keit**
unsportlich	Unsportlich**keit**
hitzig	Hitzig**keit**
furchtsam	Furchtsam**keit**
sprachlos	Sprachlosig**keit**
zufrieden	Zufrieden**heit**
unverbesserlich	Unverbesserlich**keit**
verträumt	Verträumt**heit**
verlegen	Verlegen**heit**
nett	Nettig**keit**
schüchtern	Schüchtern**heit**
großzügig	Großzügig**keit**
gelangweilt	Gelangweilt**heit**

ADJEKTIV	NOMEN (SUBSTANTIV)
erschrocken	Erschrocken**heit**
fassungslos	Fassungslosig**keit**
fröhlich	Fröhlich**keit**
gelassen	Gelassen**heit**
gestresst	Gestresst**heit**
heiter	Heiter**keit**
munter	Munter**keit**
niedergeschlagen	Niedergeschlagen**heit**
schuldig	Schuldig**keit**
schwach	Schwach**heit**
sicher	Sicher**heit**
vergnügt	Vergnügt**heit**
verwirrt	Verwirr**theit**
leicht	Leichtig**keit**
leichtsinnig	Leichtsinnig**keit**
korrekt	Korrekt**heit**
herrlich	Herrlich**keit**
gefährlich	Gefährlich**keit**
gefällig	Gefällig**keit**
höflich	Höflich**keit**
kariert	Kariert**heit**
locker	Locker**heit**

ADJEKTIV	NOMEN (SUBSTANTIV)
bekannt	Bekannt**heit**
einfach	Einfach**heit**
richtig	Richtig**keit**
laut	Laut**heit**
neu	Neu**heit**
rau	Rau**heit**
aufmerksam	Aufmerksam**keit**
bereit	Bereit**schaft**
genügsam	Genügsam**keit**
verliebt	Verliebt**heit**
lieblos	Lieblosig**keit**
grausam	Grausam**keit**
sicher	Sicher**ung**
trüb	Trüb**sal**
heil	Heil**ung**
gleich	Gleich**nis**
los	Los**ung**
finster	Finster**nis**
trüb	Trüb**ung**
langsam	Langsam**keit**
schnell	Schnellig**keit**
kühn	Kühn**heit**
faul	Faul**heit**
müde	Müdig**keit**

GROß- & KLEINSCHREIBUNG

✦ Verben und Adjektive werden im Normalfall **kleingeschrieben**.

✦ Werden sie jedoch <u>als Nomen</u> verwendet, schreibt man Verben und Adjektive **groß (= Nominalisierung)**.

Man schreibt Verben groß, wenn

a) ein bestimmter oder unbestimmter Artikel davor steht, z.B. das Bellen der Hunde, das Schreien der Kinder, ….

b) eine Präposition davor steht, z.B. beim Essen & Trinken…..

c) ein Attribut (Beifügung) davor steht, z.B. lautes Lachen….

d) ein Pronomen davor steht, z.B. dein Lachen, dieses Husten….

Man schreibt Adjektive groß, wenn

a) ein bestimmter oder unbestimmter Artikel davor steht, z.B. das Wichtigste, das Schönste, das Beste…..

b) eine Präposition davor steht, z.B. ins Blaue hinein, aufs Gröbste…..

c) ein Pronomen davor steht, z.B. mein Bester

d) ein unbestimmtes Zahlwort davor steht, z.B. alles Liebe und Gute, viel Böses und Schlechtes….

e) wenn sie von Ort- und Ländernamen auf –er abgeleitet sind, z.B. Hamburger Abendblatt sie ein fester Bestandteil

f) geschichtlicher, geographischer oder sonstiger Begriffe sind, z.B. Kap der Guten Hoffnung, die Vereinigten Staaten

Beispiele:

1. Das **Schönste** im Leben ist die Freiheit.

2. Das **Beste** am ganzen Tag, das sind die Pausen.

3. Das **Wichtigste** für mich ist meine Gesundheit.

4. **Essen** und **Trinken** hält Körper und Geist zusammen.

5. Das **Wandern** und das **Fahrradfahren** sind gesünder als das Herumsitzen auf dem Sofa.

6. Ein lautes **Lachen** der spielenden Kinder stört mich nicht!

7. Nicht jeden Tag gibt es etwas **Gutes** in der Mensa zum Essen.

8. Meine Freundin hat nichts **Passendes** zum Anziehen gefunden.

9. Alles **Gute** zum Geburtstag!

10. Herr Müller wanderte gern. Daher ist das **Wandern** des Müllers Lust.

11. Das **Bellen** meines Hundes verjagt jeden Einbrecher.

12. Ein Lidschlag oder **Blinzeln** ist ein schnelles, meist unwillkürliches und unbemerkt ablaufendes **Schließen** und **Öffnen** der Augenlider (Lidschlussreflex).

13. Weder unser Körper noch unser Gehirn sind für das **Herumsitzen** und das **Nichtstun** gemacht. Regelmäßiges **Gehen** wirkt wie eine Medizin gegen Knochenschwund.

14. Wer zu tief ins Glas geschaut hat, kann im **Gehen** und im **Stehen** alkoholbedingte Gleichgewichtsstörungen bekommen.

15. Wenn mein Freund beim **Lügen** ertappt wird, wird er puterrot im Gesicht.

NOMINALISIERUNG VON VERBEN

- Wenn wir einen Text **nominalisieren**, formen wir verbale Ausdrücke in nominale Ausdrücke um.
- Dies geschieht immer dann, wenn wir **Verben**, **Adjektivverben**
- oder **Funktionsverbgefüge** durch Nomen ersetzen.

A. Nominalisierter Infinitiv:

Verben, die kleingeschrieben werden, können zu **Nomen (Substantive)** werden. Als Nomen werden sie dann **groß** geschrieben.

Dies ist immer der Fall, wenn ....

1. Verben mit oder ohne **Artikel** allein stehen und ein Substantiv ersetzen.
2. Verben **nach** einem **Adjektiv** stehen.
3. Verben **nach** einem **Pronomen** stehen.
4. Verben **nach** einer **Präposition** stehen.

Beispiele

zu 1.

sehen	-	das **Sehen**
lesen	-	das **Lesen**
rennen	-	das **Rennen**
lernen	-	das **Lernen**

.....

zu 2.
- Richtiges **Sehen** im Straßenverkehr ist wichtig.
- Blindes **Vertrauen** schadet dir!
- Schönes **Singen** erfüllt den Raum.
- Lautes **Schreien** stört die Mittagsruhe.

zu 3.
- Sein **Toben** nimmt kein Ende.
- Sein **Trommeln** stört mich.
- Mein **Lachen** war noch niemals leise.

zu 4.
- Nur durch **Lernen** kann man gute Noten erreichen.

© Reinhard Laun   295

- Wider **Erwarten** hat es heute nicht geregnet.
- Beim **Essen** hat er sich verschluckt.
- Zum **Trinken** soll er sich ein Glas nehmen und ich aus der Flasche
  trinken.

B. lexikalisierte Nomen:

antragen	-	Antrag
beabsichtigen	-	Absicht
türmen	-	Turm
ankommen	-	Ankunft
abhängen	-	Abhang
abdrucken	-	Abdruck
brechen	-	Bruch

C. Nomen auf -ung:

gefährden	-	Gefährdung
hoffen	-	Hoffnung
gründen	-	Gründung
fordern	-	Forderung
passen	-	Passung
vergnügen	-	Vergnügung

Vergleich: VERBAL - NOMINAL

VERBAL	NOMINAL
Wenn du **erkältest bist**, solltest du im Bett bleiben.	Bei einer **Erkältung** solltest du im Bett bleiben.
Ehe es zu **regnen** anfängt, müssen wir zu Hause sein.	Vor dem **Regen** müssen wir zu Hause sein.
Obwohl ich **müde bin**, kann ich nicht einschlafen.	Trotz **Müdigkeit** kann ich nicht einschlafen.
Mein Nachbar fuhr gestern nach der Party mit dem Auto nach Hause, obwohl er reichlich Alkohol **genossen hatte**.	Mein Nachbar fuhr trotz **Alkoholgenuss** nach der Party mit dem Auto nach Hause.
Das Flugzeug **flog so hoch**, dass man es nicht mehr sehen konnte.	Durch die **große Flughöhe** konnte man das Flugzeug nicht mehr sehen.
Das Essen war **so schlecht**, dass wir uns beim Koch beschwerten.	Wegen des **schlechten Essens** beschwerten wir uns beim Koch.
Da die Heizung in der Schule **kaputt ist**, müssen die Schüler zu Hause bleiben.	Wegen der **kaputten Schulheizung** müssen die Schüler zu Hause bleiben.
Obwohl ich **krank bin**, gehe ich in die Schule.	Trotz **Krankheit** gehe ich in die Schule.
Als sie **16 Jahre alt war**, verliebte sie sich.	Mit **16 Jahren** verliebte sie sich.
Der Supermarkt will seinen Warenumsatz **erhöhen**. Dafür vergrößert er sich.	Zur **Erhöhung** des Warenumsatzes vergrößert sich der Supermarkt.

ZAHLEN, ZIFFERN & ZAHLWÖRTER

- Ein „Wort" besteht aus einzelnen „Buchstaben, eine „ZAHL" besteht aus einzelnen „ZIFFERN".

Zum Beispiel: Die **Zahl 134** besteht aus den **Ziffern 1, 3 und 4**.
Die **Zahl 2583** besteht aus den **Ziffern 2,5,8 und 3**.

Sprechweise der deutschen Zahlen

Unsere deutsche Sprechweise der Zahlen ist komplizierter als in anderen Sprachen.

Beispiel:

- Die **Zahl 42** etwa wird entgegen der Reihung der Ziffern als „zwei-und-vierzig" gesprochen, obwohl die 4 in Leserichtung vor der 2 steht.

- Die **Zahl 563** wird „fünf - hundert - und - drei- und - sechzig" gesprochen.

- Die Zahl 2764 wird „zwei - tausend - sieben - hundert - und - vier- und sechzig" gesprochen.

- Wir unterscheiden zwischen **Kardinalzahl** und **Ordinalzahl**:

- Die Ordinalzahlen von 1 bis 19 werden mit dem bestimmten Artikel, der Kardinalzahl und der **Endung -te** gebildet. Die Ordinalzahlen werden zur Unterscheidung von Kardinalzahlen mit einem Punkt markiert.
Zum Beispiel: die 9 wird dann zu 9. = der (die, das) neunte; die 10 wird zu
10. = der (die, das) zehnte, die 14 zu 14. = der (die,das) vierzehnte usw.

- **Ausnahme**: 1. = der (die,das) erste, 3 = der(die,das) dritte, 7. = der (die, das) siebte und 8. = der (die, das) achte (nur mit einem „**t**").

- Ab 20 lautet die **Endung -ste**..
Zum Beispiel: 21. = der(die, das) einundzwanzigste, 35.= der(die,das) fünfunddreißigste, 88. = der (die,das) achtundachtzigste

ZAHLEN

KARDINALZAHLEN

1	=	EINS
2	=	ZWEI
3	=	DREI
4	=	VIER
5	=	FÜNF
6	=	SECHS
7	=	SIEBEN
8	=	ACHT
9	=	NEUN
10	=	ZEHN
11	=	ELF
12	=	ZWÖLF
13	=	DREIZEHN
14	=	VIERZEHN
15	=	FÜNFZEHN
16	=	SECHSZEHN
17	=	SIEBZEHN
18	=	ACHTZEHN
19	=	NEUNZEHN
20	=	ZWANZIG
21	=	EINUNDZWANZIG
22	=	ZWEIUNDZWANZIG
......		
30	=	DREIßIG
31	=	EINUNDDREIßIG
32	=	ZWEIUNDDREIßIG
33	=	DREIUNDDREIßIG
......		
40	=	VIERZIG
50	=	FÜNFZIG
60	=	SECHSZIG
....		
100	=	EINHUNDERT
101	=	EINHUNDERTUNDEINS
102	=	EINHUNDERTUNDZWEI
......		
200	=	ZWEIHUNDERT
300	=	DREIHUNDERT
.....		
1000	=	EINTAUSEND

ORDINALZAHLEN

1.	=	(DER/DIE/DAS) ERSTE
2.	=	(DER/DIE/DAS) ZWEITE
3.	=	(DER/DIE/DAS) DRITTE
4.	=	(DER/DIE/DAS) VIERTE
5.	=	(DER/DIE/DAS) FÜNFTE
6.	=	(DER/DIE/DAS) SECHSTE
7.	=	(DER/DIE/DAS) SIEBTE
8.	=	(DER/DIE/DAS) ACHTE
9.	=	(DER/DIE/DAS) NEUNTE
10.	=	(DER/DIE/DAS) ZEHNTE
11.	=	(DER/DIE/DAS) ELFTE
12.	=	(DER/DIE/DAS) ZWÖLFTE
13.	=	(DER/DIE/DAS) DREIZEHNTE
14.	=	(DER/DIE/DAS)VIERZEHNTE
15.	=	(DER/DIE/DAS) FÜNFZEHNTE
16.	=	(DER/DIE/DAS) SECHSZEHNTE
17.	=	(DER/DIE/DAS) SIEBZEHNTE
18.	=	(DER/DIE/DAS) ACHTZEHNTE
19.	=	(DER/DIE/DAS) NEUNZEHNTE
20.	=	(DER/DIE/DAS) ZWANZIGSTE
21.	=	(DER/DIE/DAS)EINUNDZWANZIGSTE
22.	=	(DER/DIE/DAS) ZWEIUNDZWANZIGSTE
......		
30.	=	(DER/DIE/DAS) DREIßIGSTE
31.	=	(DER/DIE/DAS) EINUNDDREIßIGSTE
32.	=	(DER/DIE/DAS)ZWEIUNDDREIßIGSTE
33.	=	(DER/DIE/DAS)DREIUNDDREIßIGSTE
......		
40.	=	(DER/DIE/DAS) VIERZIGSTE
50.	=	(DER/DIE/DAS) FÜNFZIGSTE
60.	=	(DER/DIE/DAS) SECHSZIGSTE
....		
100.	=	(DER/DIE/DAS) HUNDERTSTE
101.	=	(DER/DIE/DAS) HUNDERTUNDEINSTE
102.	=	(DER/DIE/DAS) HUNDERTUNDZWEITE
......		
200.	=	(DER/DIE/DAS) ZWEIHUNDERTSTE
300.	=	(DER/DIE/DAS) DREIHUNDERTSTE
.....		
1000.	=	(DER/DIE/DAS) EINTAUSENDSTE

Grammatisch gibt es das Zahlwort in folgenden Formen:

I. als Substantiv

Jetzt schlägt es Zwölf.
Der Fussballspieler trägt die Drei.
Die einzige gerade Primzahl ist die Zwei.
Ich bin doch keine Null.

II. als Adjektiv

BESTIMMTE
ZAHLADJEKTIVE

GRUNDZAHLEN — zwei, drei, vier, fünf ...

BRUCHZAHLEN — achtel, viertel, zehntel...

ORDNUNGSZAHLEN — erster, zweiter, dritter....

VERVIELFÄLTIGUNGS- ZAHLEN — dreifach, vierfach, fünffach....

UNBESTIMMTE
ZAHLADJEKTIVE

ungefähre Mengenangaben
wie z.B.:

- wenig
- gering
- zahllos
- zahlreich
- ungezählt
- einzeln
- vereinzelt
- viele
- sonstige
- weitere
- mehrfach
- mannigfach
- mehrmalig
- ....

- die **zweifache** Mutter
- die **sieben** Weltwunder
- die **vier** Jahreszeiten
- ein **viertel** Liter Sahne
- **dreißig** Liter Wasser
- ein **drittel** Liter Wein
- die **fünf** Kontinente
- der **erste** Platz
- der **dritte** Mann
- .... usw.

- **einzelne** Sänger
- **viele** Menschen
- **sonstige** Tiere
- **mannigfaches** Lob
- **mehrfache** Diebstähle
- **mehrmaliger** Sieger
- **zahllose** Ehrungen
- **ungezählte** Medaillen
- **etliche** Besucher
- **einige** Bürger

DAS VERB „LASSEN"

- Das Verb „**lassen**" ist ein besonderes Verb:
  - es kann als normales „**Hauptverb**" verwendet werden
  - es kann aber auch ähnlich wie ein Modalverb als „**Hilfsverb**" mit einem **zweiten Infinitiv** Verwendung finden.
  - in der Form „**sich lassen**" kann es in der 3.Person auch als Ersatz für das **Passiv** benutzt werden.

A. „Lassen" als Hauptverb

- etwas nicht mehr tun, aufhören mit etwas:
  - „Schrei nicht so laut! Lass das sein!"
  - Seit einem halben Jahr lasse ich das Rauchen sein.
  - „Lass das Fenster zu, es zieht!"
  - „Lass mich in Ruhe!"
  - „Lass mich dir das erklären!"
  - „Lassen Sie mich in Frieden!"
  - „Leben und sterben lassen."
  - „Lass gut sein!"

B. „Lassen" als Hilfsverb

- etwas nicht verändern, etwas nicht mitnehmen:
  - „Lass dein Geld nicht auf dem Tisch liegen!"
  - „Lass deine Schlüssel nicht im Auto."
  - Ich lasse mein Handy zu Hause (liegen).
  - „Bis zur Prüfung lasse ich mir noch etwas einfallen."

- etwas erlauben, etwas zulassen:
  - Ich lasse meinen Sohn allein Auto fahren.
  - „Herr Meier, lassen Sie mich Ihnen das erklären?"
  - „Chef, lassen Sie mich heute früher nach Hause gehen?"
  - Ich lasse meine Tochter heute Abend allein zur Disko gehen.

- Wir lassen unsere Kinder höchsten zwei Stunden am Tag Computerspiele machen.
- Mein kaputtes Auto lässt sich nicht mehr reparieren.
- Meine Freu hat sich beim Friseur die Haare waschen und föhnen lassen.
- „Wer von euch lässt sich ins Bockshorn jagen?"

C. „Lassen" als Hilfsverb als Ersatz für das Passiv

- Meine Freundin lässt sich jede Woche die Fingernägel lackieren.
- Ich lasse mir die Haare waschen.
- Meine Frau hat sich an ihrem Geburtstag verwöhnen lassen.
- Die Fernbedienung lässt sich nicht gut handhaben.
- Mein neues Auto lässt sich gut steuern.
- Mein Nachbar lässt sich einmal die Woche von seiner Frau zum Arzt fahren.
- Ich habe mich vor einem Jahr am Blinddarm operieren lassen.
- Nicht jedes Problem lässt sich schnell lösen.
- Unsere Haustür lässt sich nur schwer schließen.
- „Von meinem Sohn lasse ich mir nichts sagen!"
- Ich habe mir von meiner Frau eine Tasse Kaffee bringen lassen.

Anmerkung:

- Das **Partizip II** des **Vollverbs** „lassen" heißt „**gelassen**".
- Das **Partizip II** des **Hilfsverbs** „lassen" heißt „**lassen**".

KONJUGATION VON „LASSEN"

INDIKATIV

PRÄSENS	PRÄTERITUM	PERFEKT
ich lasse	ich ließ	ich habe gelassen
du lässt / du läßt	du ließest / du ließt	du hast gelassen
er/sie/es lässt / läßt	er/sie/es ließ	er/sie/es hat gelassen
wir lassen	wir ließen	wir haben gelassen
ihr lasst / ihr laßt	ihr ließt	ihr habt gelassen
sie/Sie lassen	sie/Sie ließen	sie/Sie haben gelassen

PLUSQUAM-PERFEKT	FUTUR I	FUTUR II
ich hatte gelassen	ich werde lassen	ich werde gelassen haben
du hattest gelassen	du wirst lassen	du wirst gelassen haben
er/sie/es hatte gelassen	er/sie/es wird lassen	er/sie/es wird gelassen haben
wir hatten gelassen	wir werden lassen	wir werden gelassen haben
ihr hattet gelassen	ihr werdet lassen	ihr werdet gelassen haben
sie/Sie hatten gelassen	sie/Sie werden lassen	sie/Sie werden gelassen haben

PARTIZIP PRÄSENS: lassend

PARTIZIP PERFEKT: gelassen

IMPERATIV: lass / lasse/ laß , lasst / laßt, lassen Sie

KONJUNKTIV I

PRÄSENS	*PERFEKT*	*FUTUR I*	*FUTUR II*
ich lasse	ich habe gelassen	ich werde lassen	ich werde gelassen haben
du lassest	du habest gelassen	du werdest lassen	du werdest gelassen haben
er/sie/es lasse	er/sie/es habe gelassen	er/sie/es werde lassen	er/sie/es werde gelassen haben
wir lassen	wir haben gelassen	wir werden lassen	wir werden gelassen haben
ihr lasset	ihr habet gelassen	ihr werdet lassen	ihr werdet gelassen haben
sie/Sie lassen	sie/Sie haben gelassen	sie/Sie werden lassen	sie/Sie werden gelassen haben

KONJUNKTIV II

PRÄTERITUM	*PLUSQUAM PERFEKT*	*FUTUR I*	*FUTUR II*
ich ließe	ich hätte gelassen	ich würde lassen	ich würde gelassen haben
du ließest	du hättest gelassen	du würdest lassen	du würdest gelassen haben
er/sie/es ließe	er/sie/es hätte gelassen	er/sie/es würde lassen	er/sie/es würde gelassen haben
wir ließen	wir hätten gelassen	wir würden lassen	wir würden gelassen haben
ihr ließet	ihr hättet gelassen	ihr würdet lassen	ihr würdet gelassen haben
sie/Sie ließen	sie/Sie hätten gelassen	sie/Sie würden lassen	sie/Sie würden gelassen haben

VERBEN & AUSDRÜCKE MIT „ES"

Das Pronomen „es" hat in der deutschen Sprache verschiedene Funktionen:

a) „es" ist Pronomen für ein **einzelnes Wort (Nomen** *nur im Nominativ oder Akkusativ*, **Adjektiv**, **Partizip**)

b) „es" steht für ein **Satzteil**

c) „es" steht gleich für einen ganzen **Satz**

- Das Pronomen „**es**" steht entweder auf **Position 1** oder **Position 3** .
- Als Nomenersatz steht „**es**" im **Nominativ** oder **Akkusativ**.
- Wenn „**es**" als **Akkusativobjekt** oder als **Prädikativ** verwendet wird, kann „**es**" nicht an **Position 1** stehen.
- Wenn „**es**" als Fürwort verwendet wird, kann „**es**" **nicht weggelassen** werden.

Beispielssätze mit „es" als Fürwort:

1. Ich habe seit gestern ein neues Klavier. -
   Nominativ: Steht **es** im Wohnzimmer oder in der Bibliothek?

2. Wo hast du **es** denn gekauft? -
   Akkusativ: Ich habe **es** im Musikhaus „Dreiklang" gekauft.

3. Steht dein Auto in der Garage? -
   Nominativ: Nein, **es** steht im Carport.

4. Du hast heute ein schönes Hemd an! -
   Nominativ: **Es** gefällt mir sehr.

5. Dein Hemd ist schmutzig. -
   Akkusativ: Ja, ich werde **es** noch heute waschen.

6. Ich habe mein Handy verlegt. -
   Akkusativ: Vielleicht liegt **es** in deinem Auto!

7. Hast du das Bild vom Flohmarkt? -
   Akkusativ: Nein, ich habe **es** im Laden gekauft.

8. Das Baby ist krank. -
   Nominativ: **Es** hat Fieber.

9. Das Buch war teuer.   **Nominativ:**
   Es steht im Regal.

10. Das Kind spielt ihn der Sandkiste.   **Nominativ:**
    Es freut sich.

11. Du bist müde. Ich bin **es** auch.

12. Dein Bruder studiert BWL. Meine Schwester studiert **es** auch.

13. Mein Vater war Lokomotivführer. Ich werde **es** auch.

14. Rauchst du noch? Oder hast du **es** aufgegeben?

15. Wo ist mein Buch?   **Nominativ:**
    Es liegt auf dem Tisch.

Das Fürwort „es" kann niemals **nach einer Präposition** stehen:

Falsch: Sein Handy ist ihm wichtig. Er geht nie **ohne es** aus dem Haus.
Richtig: Er geht nie **ohne Handy** aus dem Haus.

Falsch: Mein Kind spielt sehr gut Fussball. Ich bin daher stolz **auf es**.
Richtig: Ich bin daher stolz **auf mein Kind**.

Falsch: Hast du ein Problem? Dann sprich mit mir **über es**.
Richtig: Sprich mit mir **darüber**.

Falsch: Das Bild in meinem Wohnzimmer habe ich selbst gemalt. Ich bin sehr stolz **auf es**.
Richtig: Ich bin sehr stolz **darauf.**

Das Fürwort „es" wird in vielen Wendungen benutzt:

1. **Es** regnet.
2. Heute regnet **es**.
3. **Es** schneit draußen.
4. **Es** ist sehr heiß heute.
5. **Es** geht ein heftiger Wind.
6. **Es** scheint die Sonne.
7. **Es** ist Nachmittag.
8. **Es** ist schon Abend und dunkel.
9. **Es** ist Frühling.
10. **Es** ist Sommer.
11. Wie spät ist **es**? **Es** ist 11 Uhr.
12. Zum Mittagessen gibt **es** heute Fisch.
13. Was gibt **es** zum Abendbrot?
14. Das Ballspielen im Hof ist nicht erlaubt. **Es** ist verboten!
15. Kommst du heute zu mir? **Es** ist wichtig!
16. Wie geht **es** deinem Bruder? Danke, **es** geht ihm gut.
17. Wie geht **es** Ihnen? Danke, **es** geht mir gut.
18. Wie geht **es** dir? Danke, **es** geht mir gut.
19. Heute geht **es** geht mir gut. Gestern ging **es** mir nicht so gut.
20. In meinem Vortrag **geht es** um Deutsche Grammatik.
21. In seiner Rede **ging es** um „Freizeitverhalten der Deutschen".
22. In dem Zeitungsartikel **geht es** um „Atomkraftwerke".
23. **Es fehlt** ihm am englischen Wortschatz.
24. **Es fehlt** dir an Deutschkenntnissen.
25. Du kannst dir dieses Auto nicht kaufen. **Es fehlt** dir am nötigen Kleingeld.
26. Du hast meine Freundin zutiefst verletzt. **Es fehlt** dir an der notwendigen Empathie.

27. Ich weiß noch nicht, welches Auto ich mir demnächst kaufen werde. **Es kommt darauf an**, wieviel Geld ich ansparen kann.

28. Ob du Sieger im 100 m Lauf geworden bist, steht noch nicht fest. **Es kommt darauf an**, was das Zielfoto aussagt.

29. Wollen wir morgen zusammen Fussballspielen. Ja gerne, **es kommt** aber **darauf an**, ob das Wetter mitmacht.

30. Das Musizieren macht mir keinen Spaß, **ich versuche es** lieber mit Fussballspielen.

31. Wenn du kein Fleisch mehr magst, **versuche es** doch einmal mit Gemüse.

32. Dein Mutter **meint es** gut mit dir.

33. Der Chef **meint es** nicht gut mit seinen Angestellten.

34. Ich **meine es** so, wie ich es Gesagt habe!

35. Du **machst es** dir viel zu leicht!

36. Alina **macht es** sich leicht, wenn sie sagt, sie habe kein Interesse mehr am Geigenunterricht.

37. Er **hat es** weit gebracht in seinem Leben.

38. Anna **hat es** weit gebracht als Chefin von 50 Angestellten.

39. Ich **habe es** nicht weit gebracht als Fussballspieler in der unteren Kreisklasse.

40. **Es gibt** gute und schlechte Tage im Leben.

41. **Es gibt** in Hamburg viele freilaufende Hunde.

42. **Es gibt** viele arme Menschen in Deutschland.

43. **Es heißt**, dass der Regen bald aufhören wird.

44. **Es heißt**, dass du im Lotto gewonnen hast.

45. **Es heißt**, dass ihr euch verlobt habt.

46. **Es gilt** das, was du gesagt hast.

47. **Es gilt** dein Wort.

48. Für die nächste Wahl **gilt es** alle Wahlberechtigten zu mobilisieren.

CPSIA information can be obtained
at www.ICGtesting.com
Printed in the USA
LVOW09s0956241216

518659LV00005B/349/P